1001 TRUCS
TRUCS
PUBLICITAIRES
3E ÉDITION REVUE + ENRICHIE

Les Éditions Transcontinental inc.
1100, boul. René-Lévesque Ouest, 24e étage
Montréal (Québec)
H3B 4X9
Tél. : (514) 392-9000
1 800 361-5479
www.livres.transcontinental.ca

Pour connaître nos autres titres, consultez le **www.livres.transcontinental.ca**. Pour bénéficier de nos tarifs spéciaux s'appliquant aux bibliothèques d'entreprise ou aux achats en gros, informez-vous au **1 866 800-2500**.

Ce livre a été publié en anglais sous le titre *1001 Advertising Tips* (White Rock Publishing), en espagnol (Robinbook) et en coréen (Yekyong Publishing).

Catalogage avant publication de Bibliothèque et Archives nationales du Québec et Bibliothèque et Archives Canada
Dupont, Luc, 1964-
1001 trucs publicitaires
3e éd. rev. et enrichie.
Comprend des réf. bibliogr.
ISBN-13: 978-2-89472-585-6

1. Publicité - Guides, manuels, etc. I. Titre. II. Titre: Mille et un trucs publicitaires.
III. Titre: Mille un trucs publicitaires.

HF5823.D86 2005   659.1'1   C2005-940380-2

Révision : Diane Grégoire
Correction : Diane Boucher
Photo de l'auteur en couverture arrière : Jocelyn Bernier
Conception graphique de la couverture : Annick Désormeaux
Mise en pages : Studio Andrée Robillard

Imprimé au Canada
@ Les Éditions Transcontinental, 2005
Dépôt légal – 2e trimestre 2005
Bibliothèque nationale du Québec
Bibliothèque nationale du Canada
2e impression, juin 2011

Tous droits de traduction, de reproduction et d'adaptation réservés

Nous reconnaissons l'aide financière du gouvernement du Canada par l'entremise du Fonds du livre du Canada pour nos activités d'édition. Nous remercions également la SODEC de son appui financier (programmes Aide à l'édition et Aide à la promotion).

Les Éditions Transcontinental sont membres de l'Association nationale des éditeurs de livres.

LUC DUPONT

1001 TRUCS
PUBLICITAIRES
3E ÉDITION REVUE + ENRICHIE

Les Éditions
Transcontinental

DU MÊME AUTEUR

Chez le même éditeur

- *1001 trucs publicitaires,* 1re et 2e éditions, 1990 et 1993.

- *500 images clés pour réussir vos publicités,* 1999.

- *Quel média choisir pour votre publicité,* 2001.

Chez d'autres éditeurs

- *1001 Advertising Tips,* White Rock Publishing, 1996 et 1999.

- *1001 trucos publicitarios,* édition espagnole, Robinbook, 2004.

- *1001 trucs publicitaires,* édition coréenne, Yekyong Publishing, 2002.

- *500 images clés pour réussir vos publicités,* édition coréenne, Yekyong Publishing, 2002.

- *Images That Sell,* White Rock Publishing, 2000.

- *Les enseignes au Québec* (en collaboration avec Jean-Claude Dupont), Les Éditions GID, 2000.

À Sabrina.

« La publicité n'est pas une forme d'art.
Le succès vient de l'application d'un processus
scientifique et rigoureux. »
Sergio Zyman, ex-directeur du marketing chez Coca-Cola

Un aide-mémoire remarquable pour l'annonceur pressé

par Claude Cossette*

Dans nos concentrations urbaines de plus en plus complexes, dans un marché de plus en plus sauvage, la publicité devient une arme aussi nécessaire pour l'activiste social que pour le marchand. Or, l'annonceur dont ce n'est pas le métier aussi bien que celui qui est pressé de toutes parts par le temps ont besoin d'un vade-mecum. Le livre *1001 trucs publicitaires* de Luc Dupont en est un.

J'avais préfacé la première édition de cet ouvrage parce que j'avais été impressionné par le travail exceptionnel de ce jeune diplômé qui était venu me demander mon avis sur son essai. J'avais écrit : « Il rassemble entre deux couvertures des dizaines d'études et d'articles scientifiques dans lesquels les plus grands maîtres nous révèlent les secrets de leurs succès ». Depuis, l'étudiant est devenu collègue (sinon émule !) en obtenant un doctorat, publiant plusieurs livres, devenant lui-même professeur de publicité dans une université et intervenant avec à-propos dans les médias.

Entre les deux éditions, le monde de la publicité lui-même a changé. L'espace public est de plus en plus encombré par des messages de toute nature, ceux des gens d'argent comme ceux des gouvernements, des organismes humanitaires ou des simples citoyens. Persuader le badaud ou simplement obtenir son attention devient donc de plus en plus difficile.

C'est pourquoi Luc Dupont a affûté encore son outil qui était pourtant bien pointu. Il donne plus de place au monde électronique, insiste sur le rôle prépondérant de l'image, glisse quelques mises en garde (sur l'usage de l'humour et du sexe, par exemple), allonge sa liste de « trucs éprouvés » et multiplie les exemples issus de la culture québécoise.

Dupont est un universitaire fasciné par la pratique publicitaire, un fureteur invétéré, un vulgarisateur de talent. Cela fait de *1001 trucs publicitaires* un aide-mémoire remarquable pour l'annonceur pressé.

Je suis assuré que cette troisième édition est promise à un succès plus grand encore que les précédentes.

---

* Enseignant, publicitaire et homme d'affaires, Claude Cossette a fondé la maison Cossette Communication Marketing, qu'il a présidée jusqu'à ce qu'elle devienne la plus grande agence de publicité du Québec. Maintenant professeur titulaire en publicité sociale à l'Université Laval, il a publié un roman attendu, *Un loup parmi les loups,* qui décrit le milieu de la publicité.

Remerciements

Au moment où j'écrivais la première édition de *1001 trucs publi-citaires*, il y a un peu plus de 15 ans, j'étais loin de me douter qu'un jour cet ouvrage serait publié en anglais, en espagnol et même en coréen! Je veux donc remercier Jean Paré, éditeur des Éditions Transcontinental, pour son travail exceptionnel, son énergie inlassable et ses encouragements continus. Grâce à lui, des entrepreneurs d'un peu partout dans le monde peuvent maintenant s'initier aux *1001 trucs publicitaires*.

Je veux aussi redire merci à Sylvain Bédard, éditeur associé et rédacteur en chef de *Finance et investissement*, pour sa passion, son audace et sa détermination. En 1990, alors qu'il était à la barre des Éditions Transcontinental, Sylvain n'a pas hésité à publier la première édition de ce livre même si son auteur avait 24 ans.

Je souhaite également remercier les personnes suivantes :

- Deux professeurs de publicité que j'ai eu la chance de côtoyer, l'un à l'université, l'autre en entreprise : d'abord Claude Cossette, président-fondateur de Cossette Communication-Marketing et professeur à l'Université Laval, pour ses encouragements, ses suggestions de lecture et sa généreuse préface ; puis Pierre Delagrave, vice-président média et recherche au Groupe Cossette Communication, qui m'a initié à la recherche marketing et aux stratégies média.

- Tous mes clients et collègues qui, à divers égards, m'ont aidé lors de la réalisation de cet ouvrage, que ce soit par leurs conseils, leurs encouragements ou leurs remarques : Charles Michaud, adjoint au vice-président, section journaux régionaux du Québec, à la corporation Sun Media ; Michel Desbiens, vice-président, section journaux régionaux du Québec, à la corporation Sun Media ; Denys Durocher, directeur régional de Métromédia Plus pour le district Québec ; Michel Marcoux, directeur du développement des affaires de Mediacom-Montréal ; Jeannot Lefebvre de Mediacom-Québec ; Claude Duquet, directeur affaires publiques pour le district Québec-Maritimes de Mediacom ; Peter Warren, directeur des ventes à Enseignes Pattison ; Louis Lamarre, directeur de la publicité nationale à Médias Transcontinental ; Denis Bachand, professeur au département de communication de l'Université d'Ottawa ; Jean-Paul Lafrance, professeur au département des communications de l'UQAM ; Nicole Vaillancourt, directrice des services graphiques de Bell Acti-Media ; Marc-André Lauzier, directeur général chez Absolu Communications ; Sylvie Charrette, directrice générale et des ventes à CJRC ; et Johanne Lebœuf, ex-directrice générale au bureau de la commercialisation de la radio du Québec.

- Gaël Bachand-Morin, étudiant au département de communication à l'Université d'Ottawa, Jean-Luc Pelchat, ex-recherchiste à TQS-Québec ; Robert Langlois, directeur de la coopérative de sondage BBM ; Renée Houde, directrice en publicité-annuaire à Bell ActiMedia ; Michel Valois, directeur général au *Journal de Montréal* ; François Charbonneau, directeur du marketing et développement des affaires chez Les Hebdos Transcontinental ; Raynald Lavoie, consultant publicitaire ; Richard Renaud, directeur général et directeur des ventes au Groupe TVA ; Claude Auger, directeur général à la station de télévision CFER ; Suzanne Mercier, Corporation des concessionnaires d'automobiles de Montréal ; Louis-Charles Ménard et Richard Fontaine des Hebdos Transcontinental ; André Dumont, gérant des ventes du journal *Le Soleil* ; Serge Parent, chef de service aux employés du journal *Le Soleil* ; Nancy Leggett-Bachand, directrice générale des Hebdos du Québec ; Francine Bouchard, ex-vice-présidente et directrice régionale des Hebdos du Québec ; Claude Tremblay, directeur de la publicité et de la promotion au journal *Le Droit* ; Réal Brodeur, éditeur et directeur régional des journaux *L'Express* et *La Parole* ; Johanne Marceau, directrice des ventes des journaux *L'Express* et *La Parole* ; Sylvain Denault, directeur de la publicité à *La Voix de l'Est* ; Gilles Haché, directeur publicitaire de l'*Acadie Nouvelle* ; Yvon Girard, directeur de la publicité au *Quotidien* de Chicoutimi ; François Fouquet, directeur de la publicité de *La Tribune* ; Ginette Panneton, directrice publicité-marketing au quotidien *Le Nouvelliste* ; et Sébastien St-Hilaire, directeur des ventes au journal *Métro*.

- Catherine Bachand, recherchiste à la radio de CHOI ; Barbara Ann Gauthier, recherchiste à l'émission *L'épicerie*, présentée à Radio-Canada ; Jacquelin Castonguay, réalisateur de l'émission *Indicatif présent,* présentée à Radio-Canada ; Renée Tanguay, recherchiste à l'émission *Salut Bonjour,* diffusée sur le réseau TVA, et Pierre Taschereau, producteur délégué à TVA et responsable de l'émission *Salut Bonjour.*

• Raymond Boisvert, éditeur du magazine *Québec Scope* ; Simon St-Hilaire, formateur professionnel spécialisé dans la vente ; Jocelyn Bernier, photographe et directeur de Focus 1 ; et Patrick White, adjoint au chef du service français à la Presse Canadienne.

Enfin, je remercie le personnel des bibliothèques de l'Université d'Ottawa, de l'Université de Montréal, de l'Université Concordia, de l'Université McGill et de l'université de New York à Albany. Une mention toute spéciale va aux responsables du prêt entre bibliothèques de l'Université Laval.

Luc Dupont

Table des matières

INTRODUCTION   19

Chapitre 1
COMMENT PLANIFIER
VOTRE CAMPAGNE PUBLICITAIRE   23

    Les 5 questions à la base de votre stratégie   24

    En résumé   34

Chapitre 2
55 FAÇONS DE POSITIONNER VOTRE PRODUIT   35

    Comment positionner votre message   40

    Qu'est-ce qui détermine
    le positionnement d'un produit ?   86

Chapitre 3

**QUELS GENRES D'IMAGES ATTIRENT
LE PLUS L'ATTENTION ?** 101

    Comment attirer le regard 105

    Quels sujets captent le plus l'attention ? 125

    Devez-vous utiliser de jolis modèles ? 128

    Les témoignages de vedettes 133

    Comment lisons-nous les images ? 143

Chapitre 4

COMMENT ÉCRIRE DES TITRES PERCUTANTS 147

    Les titres plus efficaces que la moyenne 150

    Les mots magiques 163

    Un titre court ou un titre long ? 168

    En résumé 170

Chapitre 5

COMMENT ÉCRIRE DES TEXTES QUI VENDENT 173

    Comment écrire des textes efficaces 175

    Un texte court ou un texte long ? 187

    Comment augmenter la crédibilité
    de vos publicités 189

    L'humour fait-il vendre ? 195

    Les promotions : pour ou contre ? 198

La commandite 208

Le placement de produit 213

Chapitre 6
QUELS CARACTÈRES TYPOGRAPHIQUES CHOISIR POUR VOTRE PUBLICITÉ 217

Comment choisir un caractère typographique 221

Chapitre 7
QUELS TYPES DE MISES EN PAGES SONT LES PLUS EFFICACES 229

7 genres de mises en pages efficaces 235

La taille et le format 239

Quelles sont les meilleures positions
pour se faire remarquer? 243

Une publicité en couleur ou
une publicité en noir et blanc? 246

Chapitre 8
LA SIGNIFICATION DES COULEURS 251

La signification cachée des couleurs 254

L'amour est rouge, le sexe est rose 266

Les combinaisons de couleurs 269

Quelles sont les couleurs les plus aimées
et les plus détestées? 278

La symbolique des lignes et des formes 279

En résumé 283

Chapitre 9

LA PUBLICITÉ COMPARATIVE : QUAND L'UTILISER,
QUAND L'ÉVITER 285

Performance supérieure à la moyenne 288

Performance inférieure à la moyenne 290

Devez-vous identifier clairement votre compétiteur ? 292

Avertissement 293

Chapitre 10

LES 5 EFFETS DE LA RÉPÉTITION 295

Ce que la répétition peut faire pour vous 298

20 bons tuyaux 307

Est-ce que l'efficacité de la publicité fluctue
en fonction des saisons ? 310

Un média ou plusieurs médias ? 313

Combien de fois faut-il répéter votre message ? 315

Comment répartir vos répétitions 316

Conclusion

LA PUBLICITÉ : ART OU SCIENCE ? 321

NOTES 325

BIBLIOGRAPHIE 351

Introduction

Bienvenue dans cette nouvelle édition de *1001 trucs publicitaires*! Dans les pages qui suivent seront présentés les trucs qui marchent et ceux qui ne marchent pas en publicité. Vous verrez:

- Comment planifier votre campagne publicitaire
- Comment les consommateurs réagissent à différents stimuli publicitaires
- Comment positionner vos produits
- Quelles images publicitaires attirent le plus l'attention des consommateurs
- Quels genres de titre donnent les meilleurs résultats
- Comment écrire un texte publicitaire qui vend
- Quand écrire un texte long

- Comment augmenter la crédibilité de votre message

- Quels sont les mots les plus vendeurs

- Comment utiliser la couleur pour augmenter vos ventes

- Pourquoi le choix des caractères typographiques est si important en publicité

- Quelles sont les mises en pages les plus efficaces pour attirer l'attention

- Quand faut-il utiliser la publicité comparative, l'humour et le sexe en publicité

- Que faut-t-il penser de la promotion, de la commandite et du placement de produit

- Combien de fois faut-il répéter votre publicité pour vendre votre produit, etc.

Les principes exposés dans cet ouvrage seront basés sur la recherche et sur l'expérience de centaines d'experts du Québec, du Canada et des États-Unis.

Certains spécialistes vous diront que les meilleures publicités ne respectent pas les règles. C'est vrai – une fois sur mille. Mais le reste du temps, les consommateurs réagissent toujours aux mêmes techniques de la même façon.

- Les femmes regardent une photographie de femme nue plus longtemps que les hommes[1]. Elles se comparent au modèle.

- Quand les hommes offrent un train électrique à leur fils, ils se font un cadeau à eux-mêmes. Ils attendaient la naissance d'un fils pour revivre des moments magiques.

- Les noms de marques des annonceurs qui utilisent un contenu sexuel sont mémorisés par 40 % plus de femmes que d'hommes. Les messieurs sont distraits…

- C'est presque toujours la femme aux cheveux blonds qui attire en premier l'attention des lectrices dans une publicité. Mais rapidement, les femmes vont se tourner vers la femme aux cheveux noirs. Elles sont jalouses de la première.

- Vingt-cinq pour cent de la nourriture est consommé entre les repas. Pire encore, si vous mettez un téléviseur dans votre cuisine, votre poids augmentera de 2 à 5 kilos la première année.

- Quatre-vingts pour cent de la bière est achetée par 20 % des gens. C'est la célèbre loi du 20/80.

- En moyenne, les gens passent 3,2 secondes par page dans un magazine et 4 secondes par page dans un quotidien[2]. Cela explique pourquoi un texte publicitaire est lu en moyenne par 5 % à 10 % des lecteurs d'une publication.

- Les paragraphes courts sont plus lus que les paragraphes longs.

- Les emballages attirent davantage l'attention s'ils présentent une image.

- Les produits ronds se vendent plus que les produits carrés, surtout s'ils s'adressent aux femmes.

- Soixante-quinze pour cent de la publicité est ignorée. La première année où on a retiré la publicité pour le tabac des ondes, les ventes de cigarettes ont augmenté de 3 % aux États-Unis et les annonceurs ont économisé 70 millions de dollars en publicité télévisée.

1001 trucs publicitaires s'adresse aux gens d'affaires, aux publicitaires, aux annonceurs et aux entrepreneurs. Il s'intéresse aux mécanismes de la persuasion publicitaire dans les différents médias.

Les textes à lire sont accompagnés d'images publicitaires et d'encadrés. Dans ces derniers, vous trouverez de l'information supplémentaire sur la publicité et le marketing.

1001 trucs publicitaires répond à des questions éternelles. Quels sont les secrets de la publicité efficace ? Existe-t-il de grands principes qui permettent de concevoir de la publicité qui vend ? Pourquoi une publicité connaît-elle du succès et une autre échoue-t-elle ?

La société change, les opinions se modifient et les modes passent, mais la nature humaine ne change pas. « La vérité, écrit Desmond Morris, c'est que l'espèce humaine a toujours possédé la même gamme de pulsions émotionnelles et à peu près la même façon de les extérioriser[3]. » Bonne lecture !

Comment planifier votre campagne publicitaire

L'élément le plus important dans la réussite d'une publicité s'appelle *la préparation.*

Que vous soyez petit ou grand, la publicité efficace repose sur un principe simple : il faut analyser la situation et planifier vos campagnes. Selon le Groupe Cossette, de 10 % à 90 % des investissements publicitaires sont du gaspillage, un gaspillage inhérent à un manque de préparation[1].

Ce premier chapitre porte sur la planification de votre attaque publicitaire.

LES 5 QUESTIONS À LA BASE DE VOTRE STRATÉGIE

Pour établir votre stratégie publicitaire, il y a cinq questions cruciales auxquelles vous devez répondre.

1. Quel est votre produit ?

Planifier une campagne, c'est d'abord et avant tout connaître votre produit. Quelles sont vos forces ? Quelles sont vos faiblesses ? Quelle est votre image ? Qu'est-ce que les gens pensent de vous ? En publicité, vous ne pouvez pas concevoir de message qui augmente les ventes si vous ne commencez pas par recueillir le maximum d'information sur votre produit.

Pour augmenter vos chances de réussite d'un cran, il faudra aussi apprendre à connaître la *compétition*. Combien avez-vous de compétiteurs ? Quels sont leur part de marché et leur budget publicitaire ? Quels médias utilisent-ils et quand annoncent-ils ? Plus vous en saurez sur vous-même et sur vos compétiteurs, plus vous pourrez concevoir des stratégies publicitaires efficaces.

2. Quel est votre argument de vente ?

Que vous le vouliez ou non, la publicité repose toujours sur une promesse de satisfaction. Il faut répondre à un besoin ou à un désir.

Si on épluche un message publicitaire, on aboutit toujours à une motivation spécifique. La difficulté est d'en choisir une seule, celle qui fera le plus vendre votre produit.

« La clé du succès, dit John Petrof, se résume à essayer de répondre le plus exactement possible aux besoins du consommateur. Tenter de satisfaire les consommateurs sans savoir ce qui les motive reviendrait à viser une cible en pleine obscurité. »

Le thème «Prenez une pause» des chocolats Kit Kat est un exemple d'argument de vente efficace. En présentant le thème de différentes façons, Kit Kat est devenu l'un des produits de confiserie les plus consommés en Amérique du Nord avec des ventes annuelles dépassant les 300 millions de dollars.

En général, donnez-vous un argument de vente qui soit unique et original. Rosser Reeves, de l'agence Ted Bates, maintient que, pour être efficace, une campagne publicitaire doit s'exprimer par une proposition unique au consommateur (en anglais, *Unique Selling Proposition,* ou USP).

Selon Reeves, chaque publicité doit faire une proposition unique au consommateur, celle que la compétition ne peut pas ou ne veut pas faire[2]. «Bon à s'en lécher les doigts», dit PFK. «Il flotte», affirme le savon Ivory. «Gardez-vous les rouges pour la fin», répète Smarties.

Pour survivre dans le secteur de la mode, les entreprises développent des styles et des arguments de vente unique. Benetton secoue «l'indifférence des hommes», Calvin Klein réfère à la sexualité et Diesel use de l'ironie, de la satire et de l'humour.

3. Quel est votre public cible?

En publicité, le troisième élément important que vous devez prendre en considération est votre *public cible*. À qui voulez-vous parler? À qui s'adresse vos messages? Si vous voulez réussir dans l'environnement d'aujourd'hui, vous devez identifier une cible.

De nombreux critères permettent de cibler votre clientèle. Pour simplifier les choses, les publicitaires ont pris l'habitude de segmenter les consommateurs en fonction de deux critères simples: l'âge et le sexe. Ils expriment cette relation de la façon suivante: «Hommes, 18-34 ans»; «Femmes, 25-54 ans», etc. Il est important de se rappeler que chaque segment a ses propres habitudes de consommation média.

◆ *Pour les annonceurs, les jeunes de 18 à 34 ans constituent une cible de choix. Friands de nouveautés, ils aiment consommer et recherchent la satisfaction immédiate de leurs besoins. Selon la Fédération des Associations coopératives d'économie familiale (ACEF), la proportion des jeunes de 18 à 30 ans qui utilisent une carte de crédit a doublé en 10 ans et atteint maintenant 60 %.*

◆ *C'est toujours une bonne idée de cibler les baby-boomers. Les hommes et les femmes nés entre 1947 et 1966 ont marqué les divers mouvements de consommation et changé les données en publicité. Selon David Foot, la démographie explique environ les deux tiers des comportements de consommation, et permet de savoir, entre autres, quels seront les produits en demande dans cinq ans.*

12 FAÇONS DE DÉFINIR UNE CIBLE

Âge :	12-18, 18-34, 18-49, 25-54, 50+, adultes
Sexe :	Homme, femme
Orientation sexuelle :	Hétérosexuelle, homosexuelle, bisexuelle
Revenu :	Moins de 10 000 $, 10 000 $-14 999 $, 15 000 $-19 999 $, 20 000 $-24 999 $, 25 000 $-34 999 $, 35 000 $-49 999 $, 50 000 $-74 999 $, plus de 75 000 $
Éducation :	Secondaire ou moins, cégep, université
Famille :	1-2, 3-4, 5+
Statut :	Célibataire, marié sans enfant, marié avec enfant, séparé/divorcé, veuf
Occupation :	Professionnel, entrepreneur, propriétaire, religieux, vendeur, fermier, étudiant, sans emploi, autre
Domicile :	Montréal, Québec, urbain ou rural
Habitude d'achat :	Impulsif, produit *in,* écologique
Comportement :	Inerte, amovible, mobile, polyvalent
Motivations :	Besoins physiologiques et psychologiques, styles de vie, etc.

4. Quel est votre objectif ?

Le quatrième élément important dans la réussite de votre stratégie est relié à votre objectif de publicité. Pour bâtir un plan efficace, il est essentiel de vous fixer un objectif. « Pas d'objectif, pas de budget ; pas d'objectif, pas de stratégies ; pas d'objectif, pas de planification », martèlent Claude Cossette, fondateur de Cossette Communication-Marketing, et René Déry, directeur de médias interactifs et recherche chez Marketel[3].

L'objectif, c'est ce que vous voulez faire avec votre publicité, c'est ce que vous visez à court et à moyen terme. Cet objectif doit être établi en fonction de votre produit et de sa personnalité. En pratique, plusieurs possibilités s'offrent à vous : faire essayer votre produit, augmenter votre notoriété, changer la perception qu'on a de votre produit, freiner la compétition, trouver de nouveaux consommateurs ou façonner une nouvelle personnalité à votre produit, augmenter la courbe des ventes, etc.

En vous fixant un objectif clair, vous augmenterez vos chances d'atteindre votre but. Pour vous donner un objectif pertinent, étudiez le marché et demandez-vous : quelles sont mes forces et mes faiblesses ?

Quand Maybelline a obtenu la commandite exclusive de la série *Diva*, l'objectif consistait à améliorer l'image de Maybelline au Québec[4]. Une recherche avait montré que le nom à consonance anglophone et les mannequins américains de sa publicité posaient problème auprès d'une partie de la clientèle québécoise.

5. Quel est votre budget publicitaire ?

Que vous le vouliez ou non, votre marge de manœuvre dépend principalement de vos moyens financiers. Mais attention : petit budget ne signifie pas nécessairement petits résultats. Une microbrasserie comme Sleeman a montré qu'on peut faire la vie dure aux géants avec des moyens limités. L'important est d'être réaliste.

Si vous avez 5 000 $ à investir en publicité, il est hors de question d'utiliser la télévision traditionnelle. Vous concentrerez plutôt vos efforts dans un hebdomadaire ou une station de radio. Vous pourrez aussi concevoir une brochure.

Pour déterminer le montant d'argent que vous devriez investir en publicité, posez-vous les questions suivantes :

- Quel montant avez-vous investi en publicité l'année dernière ?
- Quel est votre chiffre d'affaires ?
- Quelle est votre part de marché ?
- Quelle part de marché visez-vous à court et à moyen termes ?
- Combien la compétition investit-elle en publicité ?

RATIOS PUBLICITAIRES
(budget publicitaire / chiffre d'affaires)

Alimentation	1 à 6 %
Appareils ménagers	1 à 3 %
Appareils photographiques	1 à 5 %
Automobiles	1 à 6 %
Aviation	1 à 3 %
Boissons alcoolisées	1,5 à 9 %
Boissons gazeuses	3,5 %
Communication et loisirs	1,5 à 7 %
Cosmétiques	2 à 55 %
Friandises	4 à 10,5 %
Produits chimiques	0,5 à 4 %
Produits pharmaceutiques	2 à 14 %
Savons et détergents	3 à 11 %
Tabac	1 à 4 %
Téléphonie	0,5 à 1 %
Vente au détail	2 %

Source : Cossette, Claude, et René Déry. *La publicité en action,* Québec, Les Éditions Riguil internationales, 1992, p. 243.

Dans les faits, il y a plusieurs façons de déterminer le montant que vous devriez investir en publicité.

1. *Investissez ce que vous pouvez.* C'est la méthode la plus populaire dans les PME québécoises.

2. *Collez-vous à la compétition.* Cette technique vous force à observer minutieusement la compétition.

3. *Allouez un pourcentage de vos ventes à la publicité.* Dans le secteur de l'alimentation, les études indiquent que 1 % à 6 % de votre chiffre d'affaires devrait être investi en publicité. La moyenne des annonceurs est de 4,3 %. Dans le secteur des cosmétiques, ce ratio peut s'élever jusqu'à 55 % !

4. *Investissez en fonction de vos objectifs de vente.* Par exemple, vous pourriez décider que vous mettrez 200 $ en publicité pour chaque voiture de marque Cherokee que vous vendrez au Québec durant l'année. Si vous pensez vendre 2 500 véhicules, vous investirez donc 500 000 $.

Quelle que soit la méthode choisie, rappelez-vous que la part de marché que décroche une entreprise est fonction de l'effort publicitaire qu'elle déploie. Pour détenir 20 % d'un marché, attendez-vous à investir environ 20 % des dollars publicitaires dépensés dans ce marché.

Quel est le meilleur média ? En publicité, la réponse dépend souvent de votre stratégie créative. Selon le spécialiste des médias John Meskill, « la beauté et l'élégance sont favorisées si vous utilisez le magazine ; la radio suscite l'intimité[5] ».

En réalité, chaque média possède des forces et des faiblesses :

- *La télévision est multisensorielle.* C'est un média prestigieux. Quand vous utilisez un témoignage, la télévision est sans doute le média le plus approprié. Lorsque vous voulez modifier les perceptions, la télévision est également un bon choix.

- *Les lecteurs de quotidiens sont plus instruits et ils ont des revenus supérieurs à la moyenne.* Il y a peu de journaux dans chaque ville, donc peu de fragmentation. Les quotidiens permettent de détailler les caractéristiques des produits. Quand vous faites de la publicité comparative, les médias écrits sont plus intéressants. En effet, ils sont plus aptes à fournir de l'information technique telle que les prix, les formats, les qualités, les défauts, etc.

- *L'hebdomadaire est idéal pour agir localement.* Il offre une couverture géographique ciblée. L'hebdo est flexible et il est idéal pour les PME.

- *La radio est un média intime et personnel.* Elle permet de rejoindre une cible pointue, et son impact se fait sentir à court terme. La radio est un lieu de rêve et d'imaginaire.

- *L'affichage est un média pur.* Il rejoint les gens mobiles. Le panneau permet une exposition quasi perpétuelle et il offre une variété de formats et de cibles.

- *Le magazine rejoint un lectorat de qualité.* Il permet de bâtir une image de marque.

- *L'Internet est un média interactif.* On peut mesurer précisément la circulation. Internet rejoint un public jeune et instruit. C'est un média spécialisé à fort potentiel.

Avec le temps, les annonceurs ont découvert que certains médias sont plus efficaces que d'autres pour vendre certains produits. La télévision est occupée par la restauration rapide, l'automobile et la bière. Le journal est dominé par les magasins à rayons et le secteur de l'automobile. De son côté, le prospectus sert à annoncer les supermarchés et les pharmacies.

Si vous choisissez d'utiliser plus d'un média, la décision stratégique que vous allez prendre est appelée communément *mix media.* Cela signifie que vous allez recourir à une combinaison de médias pour mieux rejoindre votre cible.

QUEL MÉDIA REND LE MIEUX LES QUALITÉS SUIVANTES

Qualité	--	-	+	++	+++
Autorité	Panneau	Radio	Télé	Journaux	Magazines
Beauté	Radio	Journaux	Panneau	Télé	Magazines
Démonstration	Panneaux	Radio	Journaux	Magazines	Télé
Divertissement	Panneaux	Magazines	Journaux	Radio	Télé
Élégance	Journaux	Radio	Télé/panneaux	Télé/panneaux	Magazines
Événement	Panneaux	Magazines	Radio	Journaux	Télé
Excitation	Journaux	Panneaux	Radio	Magazines	Télé
Information	Panneaux	Radio	Télé	Magazines	Journaux
Intimité	Journaux	Panneaux	Télé	Magazines	Radio
Leadership	Journaux	Panneaux	Radio	Magazines	Télé
Nouveauté	Panneaux	Magazines	Radio	Télé	Journaux
Prix	Panneaux	Magazines	Télé	Radio	Journaux
Qualité	Journaux	Radio	Panneaux	Télé	Magazines
Sexe	Journaux	Radio	Panneaux	Télé	Magazines
Snobisme	Panneaux	Radio	Télé	Journaux	Magazines
Surprise	Radio	Magazines	Journaux	Télé	Panneaux
Tradition	Panneaux	Journaux	Télé	Radio	Magazines

Source : Meskill, John J. « The Media Mix », *4A Media Letter,* janvier 1979, p. 1-2.

● ── FLASH QUIZ ── ●

COMBIEN D'ARGENT DOIS-JE INVESTIR EN PUBLICITÉ ?

Pour connaître le montant le plus susceptible de faire bouger votre clientèle, répondez aux questions suivantes et faites le compte de vos points. Vous aurez ainsi une meilleure idée du pourcentage de votre chiffre d'affaires que vous devriez idéalement investir en publicité.

Mon commerce est situé...
- dans un endroit très passant   1 point
- dans un endroit moyennement passant   2 points
- dans un endroit peu passant   3 points

Dans mon marché cible, je suis...
- très connu   1 point
- moyennement connu   2 points
- peu connu   3 points

En ce qui a trait à la compétition...
- j'ai peu de compétiteurs   1 point
- j'ai quelques compétiteurs   2 points
- j'ai de nombreux compétiteurs   3 points

Dans mon commerce, le prix...
- n'a pas d'importance   1 point
- a une importance moyenne   2 points
- a une grande importance   3 points

Utilisez le nombre de points obtenus pour déterminer le montant que vous devriez investir en publicité.

De 4 à 7 points :   3-4 % des ventes
De 8 à 11 points :   4-5 % des ventes
12 points :   5-7 % des ventes

Pour en savoir davantage sur le monde fascinant des médias et de la publicité, je vous recommande de lire *Quel média choisir pour votre publicité*, publié aux Éditions Transcontinental.

● ────────────────────── ●

EN RÉSUMÉ

Pour planifier efficacement votre stratégie publicitaire, le grand défi consiste à définir votre produit, chercher une grande idée, choisir une cible, se donner un objectif et déterminer un budget. Cela dit, quoi que vous fassiez, vous ne ferez pas de bons choix si vous ne commencez pas par sélectionner un segment étroit du marché. Ce qui nous amène à parler de *positionnement*.

Chapitre 2

55 façons de positionner votre produit

Même si vous travaillez jour et nuit, vous ne réaliserez jamais de grande campagne publicitaire si vous ne commencez pas par *positionner* votre produit.

Pour réussir dans l'environnement ultracompétitif d'aujourd'hui, une entreprise doit apprendre à se tailler une niche précise dans le marché. Si vous voulez gagner, il faudra positionner votre produit, c'est-à-dire cibler, segmenter, donc *choisir* :

- Qui sont les consommateurs susceptibles d'être intéressés par votre produit ?
- Quels consommateurs seront visés par votre publicité ?
- Quel avantage sera mis en valeur dans vos messages ?

De nos jours, un produit ne peut pas être à la fois un produit pour les hommes et un produit pour les femmes, un produit pour les jeunes et un produit pour les gens plus âgés. « Dans la jungle de la communication, rappellent Al Ries et Jack Trout, le seul espoir de ramener une belle proie est d'être sélectif, de se concentrer sur des cibles bien délimitées, de pratiquer la segmentation[1]. »

En 10 ans, nous sommes passés de 84 marques de céréales sur les étagères à 150. Le nombre de marques de pâte dentifrice a bondi de 10 à 31. Une épicerie compte jusqu'à 17 000 produits. Revlon offre aujourd'hui 2 500 produits de beauté différents[2]!

Vous réalisez plus facilement l'importance du positionnement en vous posant les questions suivantes :

1. Quelle est la différence entre les dentifrices Crest, Ultrabrite et Topol?

2. Quelle est la différence entre les boissons gazeuses Coca-Cola, Pepsi-Cola et Seven-Up?

3. Quelle est la différence entre les détersifs Tide, Arctic Power et Surf?

Soyons francs. La différence n'est pas dans le tube de dentifrice, dans la bouteille de boisson gazeuse ou dans la force du détergent. La différence est dans le positionnement de chacun de ces produits.

Il existe des dizaines de marques de dentifrices sur les étagères. Pourtant, chaque marque occupe une niche précise. Crest combat la carie, Ultrabrite rend les dents blanches et Topol s'adresse aux fumeurs. Par ailleurs, Aim a un goût agréable, Total s'attaque à la gingivite, tandis qu'Aquafresh rend l'haleine fraîche.

Au Québec, le marché de la quincaillerie est devenu une industrie de 3,5 milliards de dollars par an. Trois mégachaînes se battent pour attirer les bricoleurs avec des positionnements originaux : Réno-Dépôt joue la carte du bas prix et de la sélection de produits, Home Depot mise sur la qualité de son service à la clientèle et Rona met l'accent sur le plaisir de rénover.

Selon la recherche, 80 % des gens se procurent des chaussures de sport pour faire autre chose que du sport. Comme il s'agit d'un marché très compétitif, il est donc important de se différencier. Nike, avec son slogan « Just do it ! », est la chaussure à 200 $ la paire ; elle utilise des témoignages de vedettes du sport. Puma et Adidas sont plus classiques ; ils tentent de retrouver leurs gloires passées. New Balance mise sur des témoignages de clients satisfaits ; l'entreprise vise les adultes.

Évidemment, les gens n'admettront jamais que leur choix a été influencé par une publicité, un slogan, un visuel ou un logo. Ils vous diront plutôt qu'ils sont à la recherche d'information et que leurs habitudes d'achat sont très rationnelles. *C'est faux.*

À quelques exceptions près, les gens sont incapables de faire la différence entre une marque et une autre. Lors d'une étude, on a sélectionné 300 personnes fidèles à une grande marque de cigarettes. On les a fait fumer des cigarettes dont la marque était cachée. Ensuite, on leur a demandé d'identifier la marque de cigarette qu'ils avaient l'habitude de fumer. Seulement 2 % des gens furent capables d'identifier leur marque de cigarette favorite parmi celles qu'ils avaient fumées[3]. Les experts en marketing ont observé les mêmes résultats avec des utilisateurs de chaînes radiophoniques[4], de crème à raser[5], des consommateurs de bière[6], de boissons gazeuses[7] et de champagne[8].

Plus récemment, des chercheurs ont collé une étiquette Sanyo à un appareil RCA. Ensuite, ils ont demandé à 900 personnes de comparer les performances de cet appareil avec celles du même produit vendu sous l'étiquette RCA. Soixante-dix pour cent des personnes interrogées ont affirmé que le produit Sanyo était meilleur. Pourtant, il s'agissait, dans les deux cas, du même appareil RCA.

En marketing, nous n'achetons pas des produits, nous achetons des positionnements. Dans les faits, c'est le désir d'exprimer notre personnalité qui nous guide dans le choix des produits et des marques. Qu'il s'agisse de bières, de cigarettes, de dentifrices, de quincailleries, de chaussures de sport ou d'automobiles, dépenser est une façon de communiquer notre identité sociale.

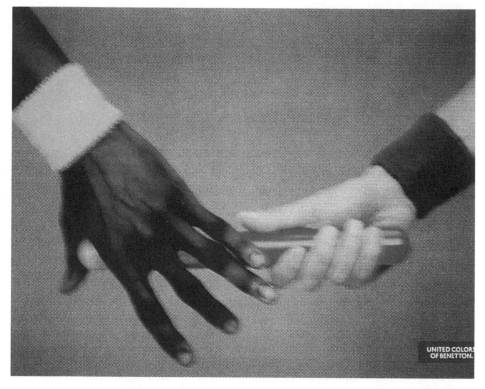

◆ *Trois annonceurs, trois positionnements différents. Ci-dessus : Benetton joue la carte de l'international. Page suivante : Cottonelle occupe la position douceur ; Barilla se positionne comme l'original.*

COMMENT POSITIONNER VOTRE MESSAGE

Ce qui compte en publicité, c'est de positionner votre produit. Aim a déjà détenu jusqu'à 10 % du marché de la pâte dentifrice avec un positionnement axé sur son goût agréable. Malheureusement, on a commis une erreur en voulant plaire à tous les consommateurs en créant un Aim anti-tartre et un Aim en gel à saveur de menthe.

Pendant une dizaine d'années, McDonald's s'est imposé un effort de diversification tous azimuts. Coup sur coup, McDonald's a lancé un McHotel et des McCafé. La firme a aussi fait l'acquisition de cinq chaînes de restauration rapide et veut lancer des McTreat, une sorte de Dairy Queen. Curieusement, depuis que McDonald's est revenu à sa mission première (les hamburgers et les frites) et qu'elle a ajouté de la salade et des sous-marins à son menu, la firme s'est remise à croître. Son positionnement est plus limpide. (En passant, McDonald's a été la première chaîne de restauration rapide à donner de l'information nutritionnelle sur ses produits. C'était en 1971.)

Morale de cette histoire : à vouloir rejoindre tout le monde, on finit par ne rejoindre personne. C'est vrai pour une PME québécoise et pour un géant du marketing comme McDonald's.

Voici donc 55 façons de positionner votre produit.

1. Le positionnement « Nous sommes le vrai »

Ce type de stratégie s'adresse à toutes les entreprises qui ont été les premières à édifier une position pour leur genre de produit. Un bon exemple de la position « le premier » est le slogan « On ne le remplacera jamais » du ketchup Heinz. Grâce à ce slogan, Heinz se positionne comme l'original. Il exploite du même coup la tendance naturelle des gens à glorifier la première marque et à mépriser les seconds.

Le slogan de la campagne de Coca-Cola (« Le vrai de vrai »), celui de la bière Molson (« Quand on est vrai »), des Special K de Kellogg's (« L'original et le premier ») et de Speed Stick de Mennen (« L'original ») sont tous des exemples de la stratégie visant à se présenter comme étant l'inventeur du produit.

Malheureusement, certaines entreprises continuent à sous-estimer l'importance du positionnement « Nous sommes le vrai ». Dans les années 80, la nouvelle formule de Coca-Cola devait révolutionner l'industrie des colas. Plus sucrée que l'original, elle était le résultat de recherches scientifiques qui donnaient à penser que le nouveau Coke serait un grand succès. Pourtant, ce fut un échec. Coca-Cola avait sous-estimé l'importance de son positionnement historique.

En 1981, Levi's a vendu 502 millions de jeans aux États-Unis. Huit ans plus tard, ce nombre avait chuté à 387 millions. Le fabricant avait oublié de miser sur sa position « Nous sommes l'inventeur du produit ».

En général, le positionnement « Nous sommes l'original » est très payant. À long terme, les enquêtes montrent que les marques pionnières obtiennent souvent des parts de marché plus importantes que les nouvelles marques[9].

Comment reconnaître les marques pionnières ? Facile. Avec le temps, les leaders finissent par occuper beaucoup d'espace dans l'esprit des gens. Ski-Doo est devenu le nom générique pour décrire toutes les motoneiges, Kleenex égale papiers-mouchoirs, Band-Aid signifie pansement, Jell-O équivaut à gelée, Q-tips veut dire coton-tige et Saran Wrap pellicule plastique.

COMMENT LES PRÉCURSEURS SE DÉMARQUENT DANS LE MARCHÉ

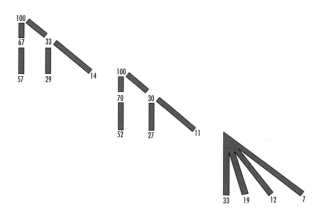

Des recherches tendent à démontrer qu'il existerait des règles naturelles concernant l'évolution d'un marché.

En haut : la règle du « 3 et 4 » du Boston Consulting Group montre que le marché tend à se distribuer selon un ration de 4 : 2 : 1. En d'autres termes, la première marque qui prend place dans l'esprit des consommateurs détient, à long terme, le double de la part de marché de la marque numéro 2, et le quadruple de la marque numéro 3[10].

Au milieu : selon la Hendry Corporation, la première marque à s'implanter dans un secteur d'activité obtient 100 % du marché. La deuxième marque peut espérer obtenir en moyenne 30 % du marché, la troisième peut recueillir 11 %, et ainsi de suite selon un ratio de 0,43.

En bas : Robert Buzzell a mesuré les parts de marché de 200 firmes du *Fortune 500*. Il s'est rendu compte que 76 % des marchés offraient des parts de marché respectives de 33 %, 19 %, 12 % et 7 % pour les quatre premières entreprises[11].

QUE SONT DEVENUS LES LEADERS DE 1923 ?

Produit ou marque leader en 1923	En 1983
Le bacon Swift Premium	Pas de changement
Les Corn Flakes Kellogg's	Nº 3
Les caméras Eastman	Pas de changement
Les fruits en conserve Del Monte	Pas de changement
Le chocolat Hershey's	Nº 2
Le saindoux Crisco	Nº 2
Le lait concentré Carnation	Pas de changement
La gomme Wrigley's	Pas de changement
Les biscuits Nabisco	Pas de changement
Les piles Eveready	Pas de changement
La farine Gold Metal	Pas de changement
Les bonbons Life Savers	Pas de changement
La peinture Sherwin-Williams	Pas de changement
Le papier Hammermill	Pas de changement
Le tabac à pipe Prince Albert	Pas de changement
Les rasoirs Gillette	Pas de changement
Les machines à coudre Singer	Pas de changement
Les chemises Manhattan	Parmi les cinq premiers
Les boissons gazeuses Coca-Cola	Pas de changement
La soupe Campbell's	Pas de changement
Le savon Ivory	Pas de changement
Le thé Lipton	Pas de changement
Les pneus Goodyear	Pas de changement
Le savon de toilette Palmolive	Nº 2
Le dentifrice Colgate	Nº 2

Murray Lubliner a comparé les parts de marché des 25 marques les plus vendues en 1923 avec les 25 marques les plus vendues en 1983. Il a découvert que 19 des 25 marques les plus vendues en 1923 étaient encore les leaders dans leur genre de produit en 1983 [12].

2.   Le positionnement « deuxième place »

L'exemple le plus célèbre de ce genre de positionnement est sans aucun doute celui de la firme Avis. Seconde dans le marché de la location de voitures, Avis réalisa dans les années 60 une campagne publicitaire fondée sur le slogan : « Avis est seulement numéro 2 dans la location de voitures, alors pourquoi venez-vous chez nous ? Nous essayons de faire mieux. »

À la surprise de plusieurs, la stratégie permit à Avis d'augmenter rapidement sa part de marché de 6 %. Mieux encore, le spécialiste de la location de voitures généra des profits pour la première fois en 13 ans. En même temps, les gens finirent par conclure qu'Avis était dans la même ligue que le leader Hertz. Par ricochet, National, la troisième compagnie en matière de ventes, commença à perdre des parts de marché.

Ces résultats ne sont pas étonnants. La psychologie de la mémoire nous montre que les consommateurs ont de la difficulté à mémoriser plus de deux marques par secteur d'activité. Quel que soit la famille de produits, les gens connaissent normalement les marques 1 et 2 : Eveready et Duracell du côté des piles, Kodak et Fujifilm dans le secteur de la photo, Listerine et Scope pour le rince-bouche. S'ajoutera à cela une marque générique.

3.   Le positionnement fondé sur le bas prix

Une troisième stratégie de positionnement consiste à occuper la case « prix modique ». Vous pouvez vous en servir pour faire entrer les consommateurs dans votre magasin, renouveler votre clientèle, modifier une perception ou rappeler un avantage concurrentiel.

Les cosmétiques Maybelline, la crème à raser Barbasol, les photocopieurs Savin, le détergent ABC, la bière Old Milwaukee et le transporteur aérien WestJet exploitent tous la position du bas prix avec beaucoup de succès.

À la fin des années 70, la japonaise Fujifilm a fait mal au leader Kodak en utilisant le positionnement «qualité égale» et «prix plus bas»[13]. Cette stratégie a permis à Fuji de voir sa part de marché passer de 10 % à 25 % en Amérique du Nord. Pendant ce temps, la part de Kodak passait de 80 % à 65 %.

Successeurs des 5-10-15 d'antan, la bannière Dollarama est le roi des articles vendus à 1 $. Selon Jacques Nantel, professeur titulaire à IIEC Montréal, «les magasins de bas prix ne sont pas près de disparaître[14]. Ces magasins sont nés au cours de la récession du début des années 90 et ils répondent à un besoin».

Dans le domaine des grandes surfaces, la chaîne Wal-Mart est un autre bon exemple de produit gagnant qui occupe la position «prix modique». Fondée en 1962 par Sam Walton, la chaîne américaine emploie 1,6 million de personnes dans le monde et possède aujourd'hui 5 170 établissements (3600 aux États-Unis et 1570 ailleurs dans le monde). Chaque semaine, 138 millions de clients visitent un Wal-Mart et le chiffre d'affaires de la multinationale est de 256,3 milliards de dollars.

Mais attention : le prix n'est pas suffisant pour fidéliser les clients à long terme. «Si une entreprise veut se distinguer par un prix, affirme Sylvain Labarre, président de LG2, la différence par rapport à ses concurrents doit être vraiment significative. Un bas prix suscite une réaction immédiate et limitée dans le temps[15].»

Parmi les comportements qui distinguent francophones et anglophones, il y a l'attitude à l'égard du prix. «Dans tous les groupes de discussion que nous organisons avec des consommateurs du Québec ou de l'Ontario pour tester des produits, on parle toujours plus vite des prix du côté anglais », dit François Gohier, conseiller chez Saine Marketing de 1988 à 1993 et maintenant conseiller chez Phoenix3 Alliance[16]. Ces différences existent dans tous les marchés du globe. Le prix est important pour 23 % des Mexicains, 27 % des Tchécoslovaques et 36 % des Américains[17].

4. Le positionnement fondé sur le prix élevé

Curieusement, le prix le plus bas n'est pas toujours l'argument clé. Le positionnement fondé sur le prix élevé s'ouvre à tous les genres de produits, spécialement ceux que nous consommons en public comme le parfum, la bière, les montres, les vêtements et les automobiles.

De nombreux produits misent sur un prix élevé pour attirer le consommateur et jouer la carte du prestige : Mercedes-Benz, Gucci, Rolex, Beefeater, Tommy Hilfiger, Versace, Montblanc et Häagen-Dazs. Les nourritures Grand Gourmet et Purina ONE pour chiens et la nourriture Fancy Feast pour chats sont vendues à prix élevés. Depuis des années, le slogan de Clorets martèle : « C'est un peu plus cher, mais c'est plus que du bonbon. » Les jeans True Religion se vendent 300 $ la paire.

L'attrait pour tout ce qui est onéreux est fondé sur l'idée selon laquelle la qualité d'un produit dépend de son prix. Plusieurs consommateurs sont prêts à payer le gros prix pour posséder ces marques de prestige. « Posséder une marque forte constitue un avantage concurrentiel puissant », écrit-on dans le journal *Les Affaires*. Cette position est fortement rattachée au passé, à la tradition et au prix de votre produit.

Lors d'une recherche effectuée pour le compte de l'Institut de recherche Stanford, Douglas McConnell a donné à des gens une même marque de bière dans trois contenants aux prix différents[18]. Il leur a fait goûter chacune d'elles et leur a ensuite demandé de choisir celle qu'ils préféraient. McConnell a constaté que la bière contenue dans la bouteille la plus coûteuse remportait toujours la palme.

À l'occasion d'une autre étude, Robert Andrews et Enzo R. Valenzi ont offert de la margarine et du beurre, à l'apparence identique, dans des contenants à prix variables. Après la dégustation, les chercheurs invitèrent les gens à classer le beurre et la margarine par ordre de préférence. Une fois de plus, la margarine et le beurre contenus dans les emballages les plus chers ont été déclarés les meilleurs[19].

Plusieurs autres études ont montré que les gens associent généralement prix élevé et qualité supérieure, que ce soit dans le domaine de l'alimentation, de la restauration, du vêtement ou de l'automobile. Citons entre autres les recherches d'Harold Levitt[20], de Tibor Scitovszky[21], de James E. Stafford et Ben Enis[22], et de Donald Tull, R. A. Boring et M. H. Gonsior[23].

5. Le positionnement fondé sur la solidité

Maytag, Glad ou Volvo sont de bons exemples de marques qui ont établi la position « solidité » dans leurs domaines respectifs.

Pour démontrer la solidité de son produit, une publicité de Samsonite a montré un enfant jouant avec une valise Samsonite dans un parc d'amusement. Une autre publicité misait sur un joueur des Steelers de Pittsburgh frappant une valise pendant une séance d'entraînement.

6. Le positionnement fondé sur la sécurité

Une étude menée par la firme de recherche Roper aux États-Unis indique que la sécurité est devenue le thème le plus utilisé en publicité, remplaçant même la sexualité au rang des priorités.

7. Le positionnement fondé sur la qualité

Lorsque les fabricants de voitures japonaises ont ciblé l'Amérique du Nord, ils ont choisi de viser l'excellence pour leurs produits. Pour se défaire de leur mauvaise réputation (dans les années 60, l'expression

« *made in Japan* » signifiait « produit de mauvaise qualité »), ils ont mis au point des techniques de fabrication qui réduisaient considérablement les risques de défauts.

Pendant que les Américains rejetaient 50 000 produits sur 1 million pour défaut de fabrication, les Japonais réussirent à rejeter seulement 200 produits sur 1 million. Encore aujourd'hui, les Japonais cherchent à réduire les erreurs. Pour ce faire, ils effectuent des tests et des essais supplémentaires pour s'assurer que leurs produits sont d'une qualité irréprochable.

8. Le positionnement fondé sur la quantité

Certains produits peuvent jouer sur les quantités pour se différencier. Dans le secteur des produits amaigrissants, chaque marque vise un type de femme en particulier. Ultra Slim-Fast cible les femmes qui désirent perdre de 15 à 50 kilos.

9. Le positionnement fondé sur la concentration

Une autre stratégie de positionnement à utiliser est basée sur la concentration. Mach3, un produit lancé par Gillette, est un rasoir à trois lames. Une Certs contient deux menthes en une. La confiture Double Fruit, de Vachon, contient deux fois plus de fruits par pot que les autres marques de confitures. Le détersif Surf d'Unilever contient deux fois plus de parfum que les autres détersifs, une Motrin IB vaut deux Tylenol, tandis que Tums est deux fois plus puissant que Rolaids.

10. Le positionnement fondé sur le sex-appeal

Dans une société qui voue un véritable culte au corps, vous pouvez construire un positionnement reposant sur le sex-appeal pour des produits comme la bière, le champagne, la crème à raser, la pâte dentifrice, le savon, la gomme à mâcher, le parfum, les sous-vêtements, le shampoing, le déodorant, les maillots de bain ou la lingerie féminine.

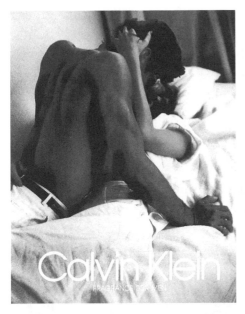

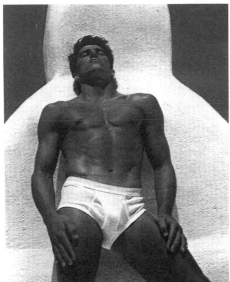

◆ Ces publicités de la firme Calvin Klein sont les meilleurs exemples que je connaisse de l'utilisation du positionnement sex-appeal.

Calvin Klein Underwear

Le positionnement basé sur le sex-appeal est particulièrement efficace quand vous vous adressez aux adolescents et aux jeunes adultes. Selon un sondage Léger Marketing, 21 % des jeunes de 18 à 24 ans trouvent d'ailleurs qu'il n'y a pas assez de sexe dans la publicité[24]. À l'autre extrémité, 60 % des gens de 65 ans et plus estiment qu'il y en a trop !

Le succès de Calvin Klein montre bien la force du sexe en publicité. Dès le départ, cette firme s'est fait remarquer grâce à ses publicités audacieuses. En 1982, elle n'a pas hésité à apposer sur un gratte-ciel une publicité grand format montrant un homme musclé vêtu d'un sous-vêtement ajusté. Depuis, elle se fait un devoir de mettre en scène des hommes à l'image prépubère, longiligne et sans poils. Les publicités racées de Calvin Klein ont aussi contribué à lancer plusieurs carrières, dont celles de Brooke Shields, Kate Moss et Mark Wahlberg.

Il y a une limite à l'utilisation du sexe qu'il faut savoir respecter. Au moment où Bill Clinton se faisait destituer, le designer Tommy Hilfiger nous montrait une jeune femme coincée dans un pantalon de cuir noir, installée sur le bureau du président. Dans une autre publicité, on voyait une fille se traînant à genoux sur le sceau présidentiel. Avant cela, la firme Calvin Klein avait aussi fait parler d'elle après avoir utilisé des images de jeunes adolescents anorexiques photographiés dans des sous-sols de maisons.

11. Le positionnement fondé sur le sexe de l'utilisateur

Il s'agit d'un des plus anciens positionnements. Les cigarettes Marlboro et le savon Irish Spring sont des produits destinés aux hommes tandis que le déodorant Secret et le savon Caress sont des produits destinés aux femmes.

Historiquement, les annonceurs ont toujours prêté une attention particulière aux femmes. Ce n'est pas un hasard. Même si elles représentent 50 % de la population, les femmes sont au cœur du processus d'acquisition de biens et de services. De nombreuses études confirment que les femmes prennent jusqu'à 80 % des décisions d'achat dans le ménage. Les femmes achètent 80 % des sous-vêtements pour hommes et 65 % des chemises blanches pour messieurs. Elles initient 75 % des rénovations dans la maison et influencent le processus d'achat de trois voitures sur quatre. C'est dire leur importance.

Dans le secteur du tabac, les fabricants de cigarettes ont compris depuis longtemps l'importance de positionner chacun de leurs produits. Pendant longtemps, les marques de cigarettes pour femmes portaient d'ailleurs la mention Slim et Superslims. Elles s'adressaient en priorité aux femmes traditionnelles. Depuis, les fabricants de cigarettes ont lancé des marques comme Dakota, qui sont destinées aux femmes qui aiment la lutte, les concours de tirage de tracteurs, le billard ou les courses de dragsters.

12. Le positionnement fondé sur le statut civil

Dans ce segment, les places disponibles sont nombreuses. Nestlé a attiré l'attention sur sa marque en ciblant les célibataires. Carnival Cruise Lines offre des croisières pour gens seuls, une idée impensable il y a 20 ans. AT&T, Lever 2000 et GE fondent leurs campagnes publicitaires sur les valeurs familiales et le confort au foyer. Le détergent Dreft vise les mères avec un premier enfant. Thyme Maternité est la seule et unique chaîne de vêtements de maternité au Canada, avec une soixantaine de magasins.

◆ *Virginia Slims :* le slogan « You've come a long way, baby », *le nom du produit et le genre de publicité utilisé ont positionné la marque comme une cigarette pour femmes.*

◆ *Depuis quelques années, le monde de la publicité a opéré un changement de cap important en ce qui a trait à la représentation des femmes. Conséquence immédiate de ce virage majeur : la publicité ne présente plus forcément la femme comme épouse ou mère. Dans l'image publicitaire, la femme moderne est déterminée et fonceuse. C'est monsieur qui s'appuie sur madame, et non l'inverse.*

Le clown Ronald destine les restaurants McDonald's à la clientèle familiale. Le célèbre personnage a fait ses débuts en 1963 à Washington. Au milieu des années 60, McDonald's prend la décision d'investir la presque totalité de son budget publicitaire de 500 000 $ en misant sur le célèbre clown. On songea brièvement à transformer Ronald en cow-boy, puis en astronaute, mais on pencha finalement pour le *statu quo* afin de conserver la clientèle des enfants. Depuis, des études menées par le service de recherche des restaurants McDonald's ont montré que plus un enfant apprécie le clown Ronald, plus il est susceptible de choisir McDonald's comme « son restaurant favori ».

13. Le positionnement fondé sur l'homosexualité

L'argent rose fait lentement son chemin dans la publicité. Au Canada, le marché rose est évalué à 40 milliards de dollars. Aux États-Unis, les gais ont un pouvoir d'achat de 250 à 350 milliards de dollars. Avec 17 à 22,5 millions de personnes en Amérique, c'est un marché très lucratif.

Au début des années 60, les cigarettes Gitane ont été les premières à cibler en priorité le marché des homosexuels[25]. La campagne orientée autour du style et du statut que conférait la marque fit augmenter les ventes de 30 %.

De nos jours, les entreprises hésitent moins à acheter de la publicité dans les journaux et les magazines gais :

- Le constructeur automobile Subaru a utilisé Martina Navratilova dans ses publicités.

- En avril 1994, IKEA lança la première campagne de publicité télévisée américaine adressée aux homosexuels. Initialement, les annonces étaient présentées après 22 heures.

- Plus récemment, Visa a créé la Rainbow Card. Sa promotion a été confiée à Martina Navratilova.

- Naya a commandité les Jeux gais de New York en 1994.

- Nivea a lancé la Nivea for Men.

- Au début de 2003, Jaguar a commencé à cibler directement le marché rose. Même le très sérieux *New York Times* a commencé à annoncer les unions gaies dans la page réservée aux mariages.

Au Québec, la première publicité télévisuelle gaie de l'histoire a eu lieu en 2000. Le porte-parole de la campagne, Daniel Pinard, faisait la promotion de Gai Écoute, un service téléphonique d'aide à la communauté gaie.

Selon les études, la communauté gaie possède les caractéristiques suivantes : elle est très ouverte aux innovations et elle est souvent considérée comme une initiatrice de tendances dans la mode, la décoration intérieure et la musique. La population gaie possède un pouvoir d'achat supérieur et ce marché constitue un excellent terrain d'essai pour des expériences marketing. Le cas des shorts boxeurs lancés par Calvin Klein est exemplaire. Initialement, ce sont les gais new-yorkais qui ont adopté ce type de sous-vêtement. Les hétéros ont suivi.

14. Le positionnement fondé sur l'âge

Depuis quelques années, la publicité a vu s'affirmer une tendance de fond : la segmentation de la clientèle selon le groupe d'âge.

Le détersif Ivory Neige, la lotion solaire Water Babies de Coppertone et les produits alimentaires Gerber s'adressent aux bébés. La gamme de produits GapKids et les plats Kid Cuisine s'adressent aux enfants. Le déodorant Teen Spirit cible les filles de 9 à 16 ans. IKEA et Coors visent les jeunes adultes. La lotion faciale Olay est un produit gagnant s'adressant aux femmes plus âgées.

Si vous désirez cibler les jeunes, vous devez savoir que c'est l'un des marchés les plus difficiles. Les jeunes sont sensibles aux images, mais ils sont infidèles aux marques. Qui plus est, ils sont très attirés par les symboles de réussite et, en même temps, ils recherchent le plaisir. Ils sont tantôt délinquants, tantôt rebelles. Les jeunes de 15 à 25 ans sont le fondement de la société de consommation : ils dictent les tendances en matière de consommation.

FLASH INFO

SEGMENTS DE MARCHÉ ET HABITUDES DE CONSOMMATION MÉDIA

- *Les adolescents*. Ils ont un pouvoir d'achat de 15 milliards de dollars au Canada. Un peu plus de 59 % reçoivent de l'argent de leurs parents, 33 % font de petits travaux et 23 % ont un travail à temps partiel[26].

- *Les 18 à 24 ans*. Lorsqu'il regarde la télévision, le groupe des 18 à 24 ans est plus susceptible d'écouter le cinéma, les comédies, les séries policières et les vidéoclips[27]. En outre, un jeune Québécois sur deux ne s'intéresse pas aux nouvelles télévisées et 38 % seulement des Québécois de 18 à 24 ans lisent un quotidien[28].

- *Les 18 à 34 ans*. Les gens de 18 à 34 ans sont innovateurs et adoptent les modes rapidement[29]. Selon une étude de Saine Marketing, ils sont des faiseurs de tendances (*trend-setters*). Ils sont très influencés par les médias et l'image. Les 18 à 34 ans sont des acheteurs impulsifs. Ils sont toutefois moins sensibles à la variable prix et aux promotions.

- *Les baby-boomers*. Les enfants de l'après-guerre — nés entre 1947 et 1966 — représentent le segment le plus recherché par les annonceurs. Ils sont à l'origine de nombreux changements démographiques et commerciaux.

- *Les 50 ans et plus.* Les consommateurs âgés de plus de 50 ans représentent un segment de choix, particulièrement dans le domaine de l'assurance et de la finance. Selon Statistique Canada, le nombre de Canadiens de plus de 50 ans a augmenté de 1,4 million de personnes de 1976 à 1988. Il est maintenant de 6,5 millions. Quant à son poids économique, cette tranche de la population contrôle 55 % du revenu personnel disponible et 80 % de la richesse personnelle du pays.

« Une des entreprises qui a trouvé une partie de la réponse est le fabricant de planches à neige Burton, raconte François Perreault, collaborateur à *La Presse*[30]. Détenant une part de marché de 35 %, la marque a réussi à se positionner avantageusement auprès d'une génération qui favorise la pratique des sports individuels. »

Selon Michel Bernard, vice-président des opérations de Couche-Tard pour le Centre-Ouest des États-Unis, les jeunes sont particuliers[31]. Ils aiment que la couleur du produit n'ait pas de lien avec son goût. Ils sont sensibles à l'humour et ils aiment provoquer. Évidemment, il ne faut pas leur parler des qualités nutritives des produits, faire de la publicité traditionnelle, jouer au gars *cool* ou tenter de convaincre trop explicitement.

François de Gaspé Beaubien, ex-président de Télémédia, rappelle que les 18 à 34 ans resteront toujours une cible convoitée, car il s'agit de personnes qui consomment beaucoup de nouveautés[32]. Des recherches indiquent que 75 % des 18 à 34 ans sont prêts à essayer de nouvelles marques, tandis que seulement 15 % des 35 ans et plus sont prêts à le faire.

Malgré tout, les gens de 50 ans et plus risquent de changer profondément le monde de la publicité dans les prochaines années. Au Canada, la moitié des voitures de luxe sont achetées par des consommateurs de 55 ans et plus. Par ailleurs, ce segment représente le tiers des dépenses en restauration.

Les membres de la *Me Generation* sont propriétaires de leur maison. Ils aiment les voitures de luxe et adorent voyager. Pour les attirer, Wilson Sporting Goods n'a pas hésité à mettre sur le marché une gamme de bâtons de golf destinés aux golfeurs âgés de plus de 50 ans. Plus récemment, Basic 4 est devenue la première céréale destinée spécifiquement aux adultes.

En raison du vieillissement de la population, plusieurs secteurs devront repenser leurs stratégies de mise en marché. Le défi est colossal. En effet, qui veut s'identifier aux têtes grises? Dans le secteur de l'automobile, les annonceurs refusent de montrer des personnes du troisième âge. Selon Chris Cedergren, analyste chez J.D. Power and Associates, «personne ne veut être vu conduisant une voiture de vieux[33]».

15. Le positionnement fondé sur le physique du consommateur

Les exemples sont nombreux au pays, spécialement dans le secteur du vêtement. Les magasins Reitmans et Laura Canada ont décidé d'exploiter le marché des femmes rondelettes. Laura Petites se spécialise dans les vêtements de femmes de moins de cinq pieds quatre pouces, dans les tailles de 2 à 18. Laura Plus s'intéresse plutôt aux tailles fortes. «Ces chaînes savent que 25 % à 35 % des femmes sont de taille 14 et plus», écrit François Perreault, de *La Presse*[34].

Le marché des vêtements pour femmes fortes est en pleine expansion. Il forme aujourd'hui près de 20 % du marché des vêtements pour femmes. C'est ce qui explique pourquoi les mannequins dans les magasins sont maintenant un peu plus ronds. Et il semble que ça marche. On constate des hausses de ventes dans les boutiques qui les adoptent.

16. Le positionnement fondé sur un problème
   ## chez le consommateur

Ecotrin est un analgésique pour les gens qui souffrent d'arthrite. Dove est un savon pour les femmes qui ont la peau sèche.

En 2003, Hanes a lancé le premier t-shirt sans étiquette pour homme. Cette innovation a permis à Hanes d'augmenter ses ventes de façon significative. Depuis, J.C. Penney, Gap et Banana Republic ont emboîté le pas. Selon le NPD Group, 10 % de tous les vêtements ne porteront plus d'étiquette en 2007.

17. Le positionnement fondé sur le moment de la journée

Kit Kat est une tablette de chocolat que l'on mange durant la collation. NyQuil, de Vicks, est un remède à prendre la nuit. Coast est « le savon réveil des grands départs ».

La chaîne Chez Cora déjeuners se spécialise dans les petits déjeuners. Les restaurants accueillent chaque année sept millions de clients. Pour égayer les lieux, Cora Tsouflidou, la fondatrice, a choisi des images fortes : des affiches colorées, des poules et un gros soleil. La chaîne offre aussi certains de ses produits sur les rayons des supermarchés. Elle lorgne le marché américain.

18. Le positionnement fondé sur le moment de l'année

Les îles Vierges ont connu une hausse de 24 % de leur clientèle touristique en se présentant comme l'endroit idéal à visiter en hiver[35].

Aujourd'hui, le Carnaval de Québec est le plus grand carnaval d'hiver au monde et obtient la troisième place au palmarès des grands carnavals, suivant de près les célèbres carnavals de Rio et de la Nouvelle-Orléans.

Le premier grand carnaval d'hiver a été lancé à Québec en 1894. On ranimait ainsi une tradition populaire et mettait sur pied une fête des neiges qui réchaufferait les coeurs. Interrompu par les deux guerres et la grande crise économique de 1929, le Carnaval a resurgi sporadiquement jusqu'à la deuxième moitié du siècle. En 1954, dans une perspective de développement économique de la Vieille Capitale, un groupe de gens d'affaires a relancé la fête. Bonhomme est né en 1954 et a été élu représentant de l'événement.

La première édition du Carnaval d'hiver de Québec a eu lieu en 1955. Le Carnaval de Québec est alors devenu une manifestation incontournable pour la population de Québec et un moteur de l'activité touristique hivernale de la ville. À chaque année, Bonhomme Carnaval se promène à travers le monde pour faire la promotion de son événement. Son itinéraire est multidirectionnel : Brésil, Belgique, France, Japon, Chine, Cuba, Bahamas, New York, Louisiane, Vancouver, etc.

19. Le positionnement fondé sur le « 24 heures sur 24 »

Kinko's compte 1 200 succursales offrant un service de poste, de photocopies couleur, d'imprimantes et de location d'ordinateurs 24 heures sur 24. En 2004, la firme a été acquise par le géant FedEx.

20. Le positionnement fondé sur l'internationalisation

Dans un monde de plus en plus multiculturel, ce n'est pas une mauvaise idée de positionner votre produit comme étant international. La carte Visa est un bon exemple de produits ou services gagnants qui exploitent la position « internationale ».

Benetton s'est positionné efficacement à l'international grâce à son slogan « Benetton : toutes couleurs unies ». Ses campagnes des années 90 dénonçant le racisme montraient de jeunes mannequins provenant de toutes les parties du monde. Il faut dire que Benetton n'a jamais eu peur d'innover et de choquer. En plus d'avoir utilisé des condoms publicitaires, elle commandite une écurie de formule 1.

21. Le positionnement fondé sur le continent d'origine du produit

Alberto est un fixatif coiffant européen, indiquant ainsi clairement son origine. Les fabricants de produits naturels font souvent appel à la médecine traditionnelle des Amérindiens.

22. Le positionnement fondé sur le pays d'origine du produit

« Le bon sens à la suédoise » positionne efficacement IKEA comme un magasin de meubles suédois. Dior, Yoplait et Renault sont français. Harley-Davidson est une moto américaine. Molson est une bière canadienne. Ragu est une sauce italienne. Volkswagen est une marque allemande. « La belle danoise » a positionné la Carlsberg comme une bière danoise.

Les ventes de la bière Canadian ont cessé de chuter lorsque Molson a décidé de jouer la corde nationaliste. En 1994, le premier message publicitaire de la série a augmenté les ventes de 5 %. En 1995, une deuxième publicité télévisée a permis à la marque de décrocher un autre 5 % dans le marché canadien de la bière. Curieusement, la marque a oublié son positionnement et mis en scène des singes dans sa campagne de 1998. Les ventes ont été un désastre et Molson a positionné à nouveau la Canadian comme la bière des Canadiens. En juillet 2000, le personnage Joe Canadian, fier canadien, traverse le pays et prononce 10 discours en une journée lors de la Fête du Canada.

23. Le positionnement fondé sur la ville

L'eau de Javel la Parisienne est un bon exemple de nom de produit qui exploite ce positionnement.

L'industrie des cosmétiques exploite avec doigté le positionnement des grandes capitales mondiales. Ainsi, les parfums portent souvent la mention Paris ou Londres.

Ceci dit, le symbole par excellence de la ville n'est plus Londres ou Paris. Les centres d'affaires se sont déplacés sous d'autres cieux. Désormais, c'est aux États-Unis, plus particulièrement à New York, que vous devez chercher l'image par excellence de la ville moderne dynamique et active.

24. Le positionnement fondé sur l'ethnie

Le positionnement ethnique a beaucoup de potentiel. Selon les dernières statistiques, les États-Unis comptent désormais 13 % d'Hispaniques, presque autant d'Afro-Américains et 4 % d'Asiatiques[36].

Les fabricants de cigarettes sont parmi les entreprises qui ont ciblé le plus leurs produits en fonction de segments étroits : les femmes cols bleus, les hispanophones, les Noirs vivant en ville, les jeunes fumeurs, etc.

Au début des années 90, R. J. Reynolds Tobacco a essayé de lancer Uptown, une cigarette conçue spécifiquement pour la communauté noire. Après avoir éprouvé des problèmes avec le secrétariat américain de la santé et des services humanitaires, la société a abandonné son projet.

Quand la compagnie Mattel a décidé de concevoir une poupée afro-américaine, elle a étudié minutieusement le marché. Plusieurs employés de race noire ont travaillé sur le projet. La compagnie a engagé un psychologue spécialisé dans le comportement des enfants afro-américains. C'est aussi une entreprise de relations publiques de ce groupe ethnique qui a lancé officiellement Shani[37]. Quelques années plus tard, Mattel a récidivé avec une poupée « pluriethnique » appelée Kayla.

Chaque ethnie a ses particularités. Les Noirs sont considérés comme des faiseurs de tendances[38]. Les latinos sont perçus comme plus traditionnels et religieux. Cela dit, les hispanophones commencent aussi à être considérés comme des leaders d'opinions, à cause de la popularité de Ricky Martin et de Jennifer Lopez. La cigarette Dorado et le détersif Ariel s'adressent spécifiquement aux hispanophones américains.

FLASH INFO

LE MARKETING ETHNIQUE

Dans un excellent article publié dans *La Presse,* Sylvia Galipeau aborde la question du marketing ethnique, en particulier celui de la firme Pepsi. Voici de larges extraits :

« Dès 1946, l'entreprise engage aussi une équipe de 10 Afro-Américains pour promouvoir le produit auprès de ses "frères". Deux ans plus tard, Pepsi met en ondes l'une des premières publicités ciblant les Noirs. Elle y place un petit bonhomme de 7 ans, Ron Brown, qui deviendra rien de moins que le secrétaire d'État au Commerce sous le gouvernement Clinton.

« Dans les années 50, très "politiquement correcte", l'entreprise envoie des bourses d'études à la United Negro College Fund, avant de nommer en 1958 un Noir au poste de responsable de ses ventes. Quatre ans plus tard, malgré des menaces de boycott du Klu Klux Klan, Pepsi nomme un Noir à sa vice-présidence.

« Dans les années 70, l'entreprise poursuit sa cour en commanditant diverses émissions de télévision rendant hommage à la culture noire, pour ensuite commanditer les tournées des Lionel Ritchie, Tina Turner et autres dans les années 80. Michael Jackson devient alors le porte-parole officiel aux États-Unis.

« À la même époque apparaît la première publicité télévisée de Pepsi en espagnol sur une chaîne grand public. L'entreprise a la sagesse de ne pas simplement traduire ses slogans en espagnol, mais bien de les adapter. Joy of Pepsi devient alors Goza el Sabor (appréciez la saveur). »

Source : Galipeau, Sylvia. « Marketing ethnique », *La Presse,* 11 juin 2003.

25. Le positionnement fondé sur la religion

La religion est devenue un critère de segmentation publicitaire. Dans son livre intitulé *Le marketing de la différence,* Anne Sengès raconte que General Electric a équipé 65 de ses fours d'un mode « shabbat » pour permettre aux Juifs traditionalistes de garder au chaud leurs mets préparés avant le début du sabbat, sans avoir à toucher aux boutons du four[39].

◆ *Pour mieux se construire, les marques s'attachent à des valeurs universelles. Au fil des ans, les campagnes de Toscani ont fini par permettre à Benetton de se différencier des autres fabricants de chandails.*

26. Le positionnement fondé sur l'aspect social

Le positionnement fondé sur l'aspect social offre deux avenues : la publicité charité et la publicité sociale ou sociétale, pour employer le terme de Jacques Bouchard, auteur des *36 cordes sensibles des Québécois*.

La vinaigrette Newman's Own constitue un bon exemple de publicité « charité ». L'acteur Paul Newman et un ami ont lancé une nouvelle marque de vinaigrette en 1982. La marque repose sur deux principes : 1) des produits de qualité supérieure sans ingrédient artificiel, et 2) le versement de tous les profits à des organismes de charité. Le succès ne s'est pas fait attendre. La première année, la Newman's Own a versé plus de un million de dollars à des organismes de charité. Depuis, plus de 125 millions de dollars ont été remis à des milliers d'œuvres caritatives.

Quand le poulet Tyson s'est installé au Québec, la compagnie a distribué des milliers de kilos de volaille pour le repas des Fêtes des sans-abri[40].

Le fabricant de Peinture internationale a investi dans une campagne pancanadienne de sensibilisation à la protection de la faune marine. Cette prise de position coïncidait avec le lancement sur le marché d'une peinture marine non toxique. « Au Québec, écrit Valérie Beauregard, journaliste au quotidien *La Presse*, Peinture internationale est devenue l'amie des bélugas, en Ontario celle des oiseaux des Grands Lacs, et dans l'Ouest, elle s'est portée à la défense du saumon du Pacifique[41]. »

27. Le positionnement fondé sur la taille

L'agence Doyle Dane Bernbach a réalisé une des campagnes les plus célèbres de l'histoire de la publicité en positionnant la Coccinelle de Volkswagen comme une voiture de petite taille.

En présentant de façon humoristique les divers problèmes que posait la longueur de leurs cigarettes, la marque Benson & Hedges s'est positionnée *comme un produit de grande taille*.

28. Le positionnement fondé sur la forme

On connaissait déjà les boulettes carrées des hamburgers Wendy's, mais voilà qu'en Angleterre Tetley a lancé des sachets de thé ronds[42]. Perçus comme plus amusants et donnant un meilleur goût au thé que celui contenu dans les sachets carrés, les sachets ronds ont permis à Tetley d'augmenter ses ventes de 20 % depuis 1989. Au Canada, les étranges petits sachets de Tetley ont aussi fait des miracles : ils ont permis à la firme de distancer la concurrence.

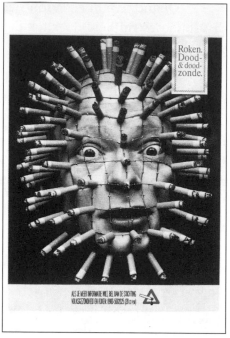

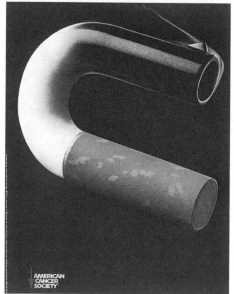

◆ *La publicité sociale mise souvent sur des visuels-chocs. Ces images sont d'autant plus efficaces qu'elles sont inattendues.*

◆ *En misant sur une image comme celle-ci, Benson & Hedges se définit comme une cigarette de grande taille.*

29. Le positionnement fondé sur la couleur

En marketing, la diversification par les couleurs est une manière d'augmenter les ventes. En l'espace d'un an, l'analgésique Nuprin a réussi à augmenter substantiellement sa part de marché en misant sur la couleur jaune de ses cachets.

Kellogg's a lancé les céréales Mickey's Magic qui ont la particularité de colorer le lait en bleu. Cheer est un détersif qui donne de la vigueur aux tissus colorés. General Mills a créé Pop Qwiz, un pop-corn pour four à micro-ondes, qui éclate en six différentes couleurs : bleu, orange, vert, mauve, rouge et jaune.

Plus récemment, sur les étagères des supermarchés sont apparues des boissons gazeuses de couleur verte, jaune ou rouge. Après avoir testé plus d'une centaine de concepts et travaillé sur le projet pendant neuf mois, Pepsi a lancé un Pepsi de couleur bleue. En multipliant les couleurs, Pepsi croit pouvoir attirer une clientèle de jeunes adultes. Selon la recherche, deux tiers des adolescents ont affirmé qu'ils achèteraient du Pepsi bleu. Par ailleurs, 80 % des consommateurs qui ont goûté le Pepsi bleu estiment qu'il est aussi bon, sinon meilleur, qu'ils le pensaient.

En 2000, le producteur de sauce tomate Heinz a mis sur le marché un ketchup vert destiné aux enfants. Après le succès du ketchup vert, on a introduit le ketchup mauve, puis le ketchup bleu. On a aussi revu la bouteille de ketchup pour la rendre plus maniable.

Si vous choisissez de jouer la carte du positionnement fondé sur la couleur, faites attention aux modes. Il y a quelques années, Pepsi-Cola a lancé le Pepsi Crystal, une boisson transparente. De son côté, Amoco a mis sur le marché une essence transparente. À cette époque, des études montraient que *transparent* égalait *naturel*. Depuis, ces deux produits ont disparu.

30. Le positionnement fondé sur l'odeur

Après la couleur, il est à prévoir que les spécialistes du marketing s'en remettront bientôt aux odeurs pour augmenter leurs chiffres d'affaires.

De nombreuses études ont révélé que l'odorat influence le cerveau et l'humeur des consommateurs. Une recherche menée par Jean-Charles Chebat, professeur titulaire à HEC Montréal, a montré qu'en diffusant une odeur d'agrume dans un centre commercial, la moyenne des achats en magasin passait de 55 $ à 90 $ par client[43]. « L'endroit leur paraissait plus confortable, plus joyeux, plus stimulant. Quant aux produits et services, ils semblaient de meilleure qualité, même si c'était les mêmes que par le passé. » Une expérience similaire réalisée aux États-Unis indique que les salles parfumées influencent positivement la désirabilité du produit[44].

Les études de la firme Renault ont montré que les conducteurs n'aiment pas que l'on supprime complètement l'odeur du plastique. Quand la voiture ne sent rien, les gens ont l'impression que la voiture qu'ils achètent est usagée.

Plusieurs produits ont une stratégie de vente qui repose principalement sur l'odeur : la poudre pour bébé Johnson's, la crème solaire Coppertone, les crayons Crayola ou la pâte à modeler Play-Doh.

31. Le positionnement fondé sur le goût

Le goût est un autre segment payant. Coca-Cola et Pepsi-Cola ont lancé respectivement le Coke Citron et le Pepsi Twist. Suivirent le 7up Tropical et le Coke Vanille. Auparavant, Coca-Cola et Pepsi avaient mis sur le marché des colas aux cerises.

Le goût de certains produits attire davantage certains consommateurs. Cinquante-quatre pour cent des Québécois boivent du jus de tomate. Ils mangent plus de yogourt mais presque pas de crème sure. Par ailleurs, les Québécois consomment 30 % plus de laxatifs qu'ailleurs au Canada[45].

32. Le positionnement fondé sur la douceur

Au Québec, la marque de papier hygiénique Cottonelle vend de la douceur. En 1992, Cottonelle innovait en lançant sur le marché des rouleaux de papier hygiénique comprenant 50 % plus de feuilles. Quelques années plus tard, pour être certaine de se faire remarquer, l'entreprise n'hésita pas à distribuer à tous les spectateurs des rouleaux gratuits lors d'un tournoi de tennis tenu à Montréal.

Le mouchoir de papier Puffs Ultra est si doux qu'il réconforte votre nez souffrant.

33. Le positionnement fondé sur la température

La température est une autre stratégie de positionnement à utiliser. Les slogans « Rien n'est plus efficace à l'eau froide » et « Plus de vigueur à l'eau froide » positionnent Arctic Power comme un détergent à l'eau froide.

Pour attirer les touristes au Nouveau-Brunswick, les publicitaires ont choisi un positionnement simple : l'eau y est chaude. La campagne de Tourisme Nouveau-Brunswick a remporté des prix de créativité. En quatre ans, elle a augmenté le nombre de touristes en provenance du Québec jusqu'à 28 %[46]. En outre, la notoriété du Nouveau-Brunswick comme destination de vacances est passée de la septième à la première position dans la tête des Québécois.

Depuis quelque temps, certains sites Internet exploitent la température pour hausser l'efficacité de leur publicité. Pour ce faire, ils annoncent simultanément sur la page d'accueil deux produits différents. Dans la région de Miami, l'internaute va voir une annonce de ventilateur, et à Milwaukee, il verra plutôt une publicité pour des pneus d'hiver.

Home Depot et Wal-Mart savent que la température a un effet sur les consommateurs. Depuis des années, la chaîne de télévision spécialisée Weather Channel ajuste sa publicité en fonction de la température. Campbell's a remarqué que nous achetons davantage de soupe chaude lorsque la température extérieure est froide ou pluvieuse.

34. Le positionnement fondé sur le temps

Minute Rice est un riz à grain long prêt en cinq minutes. Western Union, c'est « la façon la plus rapide d'envoyer de l'argent ». La gomme Extra « dure extra longtemps ». « Chez LensCrafters, dit la publicité, vos lunettes sont prêtes en une heure environ. » Federal Express : « Chaque fois qu'il faut à tout prix que votre colis arrive à destination le lende-main. » Duracell : « Aucune pile ordinaire ne lui ressemble, ni ne dure aussi longtemps. »

35. Le positionnement fondé sur les canaux de distribution

Aux États-Unis, Domino's Pizza concentre tous ses efforts sur la livrai-son à domicile. Fondée par Tom Monaghan, la chaîne possède actuelle-ment 7 400 établissements répartis dans 50 pays. Lors du Super Bowl de 2002, elle a vendu près de 1,2 million de pizzas en une journée. (En moyenne, chaque Américain mange 46 pointes de pizza par année.)

Tupperware s'en remet à des réunions de groupe pour vendre ses produits. Ce système a permis à la firme de réaliser des ventes de 2,7 millions de dollars par jour en 2002. Les statistiques indiquent qu'une rencontre Tupperware débute quelque part dans le monde toutes les 10 secondes.

Avon écoule ses produits par l'entremise d'un réseau de 500 000 représentants en Amérique du Nord. L'entreprise, qui a célébré son 118e anniversaire d'existence, est installée dans 143 pays. Elle vend pour 6 milliards de dollars de produits de beauté par année.

Grâce à son service de vente d'ordinateurs directement du fabri-cant, Dell a mis sur pied un véritable petit empire. Fondée en 1984 par Michael Dell, l'entreprise a fait des ventes de l'ordre de 49,2 milliards de dollars américains en 2004. Elle compte 55 200 vendeurs dans 81 pays (28 langues/dialectes).

La stratégie publicitaire de Dell est un modèle d'efficacité. Initialement, l'entreprise a concentré la quasi-totalité de son budget dans des magazines lus par les cracks de l'informatique. Rapidement, Dell est devenue l'annonceur dominant dans les publications informa-tiques lues par les faiseurs de tendances.

Dans le magazine *PC World,* Dell a longtemps réservé la qua-trième de couverture. Elle achetait également jusqu'à 10 pages de publi-cité à l'intérieur du même numéro. Pendant ce temps, IBM et Compaq dépensaient des sommes colossales dans des magazines grand public comme *Time, Business Week* et *Fortune.*

36. Le positionnement fondé sur l'usage

Dans le marché de la gomme à mâcher, Cristal ne colle pas aux pro-thèses dentaires, Trident est la gomme sucrée sans sucre, et Dentyne rend les dents blanches et l'haleine fraîche.

- *Vous faites de la publicité pour un produit alimentaire ?* Vous pou-vez le positionner comme un produit sans sucre, à basse teneur en hydrate de carbone, sans caféine, sans additif, sans sel ou comme un produit à basse teneur en cholestérol ou en calories, ou encore comme un produit destiné au four à micro-ondes.

- *Vous faites plutôt de la publicité pour une marque de cigarettes ?* Vous pouvez la présenter comme étant mentholée, douce, extra douce, ultra douce, sans fumée, sans nicotine ou sans odeur.

- *Vous faites de la publicité pour un hôtel ?* Sachez que certains voyageurs sont à la recherche d'une bonne nuit de sommeil et d'un déjeuner rapide. D'autres veulent un bon rapport qualité-prix. D'autres veulent impressionner le conjoint ou les amis. D'autres, enfin, recherchent le confort.

Bien entendu, l'efficacité de toutes ces approches dépend de l'existence ou non d'une position disponible pour votre genre de produit. Et cela, seule la recherche pourra vous le dire.

Il y a une cinquantaine d'années, la marque de dentifrice Gleem se destinait à «ceux qui ne peuvent pas se brosser les dents après chaque repas». Sur papier, il s'agissait d'une excellente idée. Pourtant, la campagne fut un échec. La raison en est simple : le segment n'est pas viable. Bien sûr, les études ont montré que la plupart des gens ne se brossent pas les dents après chaque repas. Mais évidemment, qui veut l'admettre ouvertement ?

◆ *Cette publicité positionne 7up comme l'« incola ». La position de la firme apparaît dans le titre (« Vous ne voulez pas de caféine ? Le choix est clair. ») et dans les éléments visuels.*

37. Le positionnement fondé sur le gros consommateur

Le chercheur Dik Warren Twedt a révélé que certains consommateurs achètent en grande quantité des produits dont d'autres ne tiennent pas compte[47]. Ainsi, 39 % des ménages boivent 90 % de tous les colas et 37 % des ménages consomment 85 % de l'ensemble des mélanges à gâteau. En économie, ce drôle de phénomène s'appelle *loi de Pareto*. En marketing, ce principe trouve de nombreuses applications. Si 80 % du chiffre d'affaires d'une entreprise provient de 20 % des activités, 80 % des profits viennent de 20 % des clients.

◆ *Le marché qui a créé les positionnements les plus intéressants est sans aucun doute celui de la bière. Aujourd'hui, la bière est beaucoup plus qu'un liquide alcoolisé. C'est une façon de dire aux autres ce qu'on croit être ou ce qu'on voudrait être. Avec son graphisme aux couleurs provocantes (noir, rouge et blanc), son slogan-choc (« En noir et black »), ses promotions audacieuses (distribution de condoms), la publicité de la Black Label positionne la marque comme une bière pour les gens branchés.*

« Chez Procter & Gamble, rappelle René Darmon, professeur affilié à HEC Montréal, les cinq plus gros clients de l'entreprise représentent 65 % du chiffre d'affaires[48]. » Cette loi vaut autant pour les PME que pour les grandes entreprises.

Le slogan « Si vous prenez une aspirine plus d'une fois par semaine » a positionné l'analgésique Bufferin comme la marque des grands utilisateurs d'aspirine.

Mais attention : évitez de baser la totalité de votre stratégie sur les grands utilisateurs. Très souvent, ils forment un groupe infidèle. Si un compétiteur offre un meilleur prix, ils n'hésiteront pas à changer de marque.

38. Le positionnement « produit *in* »

Grâce à une série de campagnes exploitant la position *in,* Absolut est devenue la marque de vodka la plus vendue. Au départ, Michel Roux, président de l'entreprise, a demandé à l'artiste Andy Warhol de peindre la bouteille d'Absolut pour une publicité. Grâce à la réaction positive qu'engendra la publicité de Warhol, Roux engagea les artistes Keith Haring, Kenny Scharf, puis Ed Ruscha. En cours de campagne, Roux reçut deux coups de main inattendus : l'invasion de l'Afghanistan et l'attaque d'un avion coréen par les militaires soviétiques qui donnèrent lieu au boycottage de la vodka en provenance d'URSS.

En Amérique du Nord, Krispy Kreme est célèbre pour ses beignes servis chauds. Cette entreprise est devenue *in* en utilisant une stratégie toute simple : elle distribue gratuitement des milliers de beignes chaque fois qu'elle entre dans un nouveau marché. Lors de son ouverture à Montréal, Krispy Kreme a distribué 7 200 douzaines de beignes dans le métro, à l'Université McGill et au Centre Bell.

Le *buzz marketing* est une technique de marketing qui a pris beaucoup d'ampleur avec l'arrivée d'Internet. En distribuant gratuitement des beignets, Krispy Kreme fait parler d'elle. Cela permet aussi de rejoindre les leaders d'opinion et de profiter de leur impact. Une recherche menée en 2001 par la firme McKinsey & Company a montré que 67 % des achats sont influencés par le bouche à oreille[49].

Le bouche à oreille est loin d'être un phénomène nouveau. Il a été étudié par les sociologues, les publicitaires et les spécialistes de la rumeur. On sait que près de 80 % des décisions d'achats des consommateurs sont influencées par le bouche à oreille. Le service de courriel gratuit Hotmail et le film *Blair Witch Project* (*Projet Blair*) doivent leur succès à un *buzz*.

39. Le positionnement « non testé sur des animaux »

En 1990, Revlon a misé sur la non-violence en lançant une gamme de cosmétiques non testés sur des animaux. Selon la recherche, 60 % des femmes préféreraient acheter des produits de beauté qui n'ont pas été testés sur des animaux.

Pour augmenter la reconnaissance des produits *cruelty-free*, les groupes de pression ont créé un symbole montrant un petit lapin. Il apparaît sur les produits qui n'ont pas été testés sur les animaux. Depuis sa création, des centaines de produits l'ont apposé sur leur produit, incluant the Body Shop International et John Paul Mitchell Systems.

40. Le positionnement « produit vert »

Procter & Gamble a pris récemment le virage vert. Elle a lancé la recharge Downy, un concentré placé en étalage tout juste à côté du produit assouplissant Downy. Le nouveau produit compte déjà pour

40 % des ventes totales de Downy. Procter & Gamble investit aujourd'hui un tiers de son budget en recherche et développement de produits environnementaux.

41. Le positionnement « produit santé »

La compagnie West Lake Village projette de lancer sur le marché la Nico Water, une eau contenant un supplément de nicotine. Le produit se veut une solution de rechange aux gommes et aux patchs, et devrait permettre aux fumeurs de cesser de fumer.

42. Le positionnement « produit jetable »

Même si cela augmente la pollution, il serait difficile d'imaginer une société sans produits jetables. Lancées en 1961, les couches Pampers ont rapidement remplacé les couches en coton. Les études indiquent qu'un enfant portera 6 000 couches avant d'être propre.

En 1986, Fujifilm a inventé les premiers appareils photo jetables. Kodak n'a pas tardé à réagir. Dès 1987, les appareils jetables Kodak connaissaient un succès remarquable. En 1992, 9,3 millions d'appareils ont été vendus aux États-Unis. Les études montrent que 50 % des photos prises avec ce type d'appareil ne l'auraient pas été si celui-ci n'avait pas existé.

Les lentilles jetables sont un autre produit intéressant qui occupe cette position. Lancées par Vistakon en 1995, elles ont été conçues pour être portées et jetées le jour même. Elles ont nécessité des investissements en recherche et développement de plus de 200 millions de dollars.

43. Le positionnement fondé sur le sport

Une autre stratégie de positionnement consiste à présenter votre produit comme un produit pour les sportifs. Right Guard le fait avec les antisudorifiques, Wheaties avec les céréales, Gatorade avec les boissons rafraîchissantes et Vogue avec les soutiens-gorge. Schering-Plough a lancé Coppertone Sport, un produit destiné aux joueurs de tennis, de golf et autres sports d'extérieur.

44. Le positionnement « club »

Lors de sa fondation en 1970 par Sol et Robert Price, le Club Price devient le tout premier entrepôt-club privé en Amérique du Nord fonctionnant selon le principe « payez et emportez ». En 1993, l'entreprise fusionne avec Costco. Aujourd'hui, 43 millions de personnes détiennent une carte de membre Costco et arpentent les 450 entrepôts de la firme à travers le monde.

45. Le positionnement fondé sur la propriété personnelle

Pour rivaliser avec le géant IBM, Apple ne s'est pas attaquée directement au leader. Elle a plutôt choisi de concentrer ses efforts sur la position « ordinateur personnel ». Cela a permis à Apple de se tailler une part de marché respectable. L'année 2002 a été marquée par le lancement du eMac d'Apple, l'ordinateur qui a remplacé le iMac.

En 2002, Black & Decker a lancé le DirtBuster. Cet aspirateur de petite taille est conçu pour le nettoyage des maisons de ville, des appartements et des chambres d'étudiants.

46. Le positionnement « produit à mélanger »

Les Grape-Nuts de Post sont des céréales à mélanger avec du yogourt ou des flocons d'avoine. Schweppes est un produit à mélanger avec du rhum, du bourbon, du gin ou de la vodka.

47. Le positionnement « produit de substitution »

La margarine Parkay, de Kraft, est vendue comme un produit substitut du beurre. Coffee-Mate est un substitut du lait, qui a l'avantage de se conserver sur une tablette. Égal est un produit de remplacement du sucre, les calories en moins. Et la gomme Wrigley's se présente comme un produit de remplacement pour les fumeurs. Le message de la publicité est simple : « Quand vous ne pouvez pas fumer, mâchez ! »

48. Le positionnement à l'« encontre de l'idée reçue »

En lançant la Nissan Maxima 1989, l'agence Chiat/Day/Mojo se positionna à contre-courant en utilisant le slogan « voiture sport, *quatre portières* ». Grâce à cette formule, les ventes atteignirent 106 000 voitures, une augmentation de 43 % par rapport à l'année précédente, et ce, malgré une hausse du prix de vente en cours d'année.

Récemment, Heinz a introduit la bouteille de ketchup « à l'envers ». Grâce à cette innovation, le ketchup est toujours prêt à être servi. Il n'est plus nécessaire de secouer la bouteille : il suffit de presser.

49. Le positionnement « 2 pour 1 »

Au Québec, les lunetteries New Look offrent le concept « Deux paires de lunettes pour le prix d'une » toute l'année. Aux États-Unis, la chaîne de pizzerias Little Caesars est devenue l'une des plus rentables en jouant sur le concept « Deux pizzas pour le prix d'une » en tout temps.

50. Le positionnement « 2 en 1 »

Prêt Plus est devenu le shampoing le plus vendu dans le monde grâce au positionnement « deux en un », combinant un shampoing et un revitalisant. Depuis, Ultra Care de Vidal Sassoon est devenue la première formule « trois en un », incluant à la fois le shampoing, le revitalisant et le démêlant.

51. Le positionnement « marque maison »

Comme plusieurs phénomènes de marketing, le concept de marque maison (ou générique) est apparu d'abord aux États-Unis. Au Québec, Dominion et Steinberg initient le mouvement à la fin des années 50.

À partir des années 80, les marques maison connaissent un boom extraordinaire, sous l'impulsion de la marque Le Choix du Président, de Loblaw. Bien sûr, la chaîne Steinberg le faisait avant elle, mais pour la première fois, l'expression « marque maison » ne signifiera plus simplement « bas prix ».

Loblaw va créer des marques qui ont un nom et une personnalité. Les emballages sont améliorés. Les produits sont de qualité égale ou supérieure, mais toujours moins chers.

Par la suite, les pharmacies, les grandes surfaces et les quincailleries vont suivre le mouvement et lancer leur propre marque. Wal-Mart a maintenant sa marque maison appelée Equate.

En 2003, un sondage de Léger Marketing indique que 75 % des Québécois achètent des marques génériques, dont 41 % régulièrement[50]. Jacques Nantel, professeur à HEC Montréal, a découvert que plus les consommateurs sont instruits, plus ils se détournent des grandes marques pour acheter des produits sans nom et à moindre prix[51].

Selon une étude PMB faite en 1955, les Québécois sont 36 % moins susceptibles d'acheter des produits sans nom que les autres Canadiens[52]. Le niveau de scolarité, encore légèrement plus faible au Québec que dans le reste du Canada, pourrait donc expliquer la fidélité reconnue des Québécois envers les marques réputées.

Dans le marché de l'alimentation, les produits génériques représentent jusqu'à 20 % des ventes totales. Au Canada, Cott fabrique plus de 90 % des produits génériques dans le secteur des colas. Elle a aussi des ententes avec Wal-Mart et Safeway aux États-Unis.

Le succès des produits maison met en relief l'infidélité chronique du consommateur. Selon une étude récente, seulement 18 % des gens achètent une pizza congelée sur la base de la marque. Quand on leur demande pourquoi ils changent de marque, 78 % des personnes interviewées répondent : « Le prix ». Trois familles de produits conservent cependant un taux de fidélité élevé : la nourriture pour chiens, les boissons gazeuses et le ketchup[53].

52. Le positionnement fondé sur la nostalgie

Avec la population qui vieillit et les baby-boomers qui commencent à prendre leur retraite, la nostalgie est un thème à la mode, que ce soit à la radio, à la télévision ou dans le domaine vestimentaire.

Au Québec, il y a actuellement six personnes en âge de travailler pour chaque retraité. En 2021, il n'y en aura plus que trois. Ce phénomène aura nécessairement des conséquences et certains en profitent déjà : Volkswagen et sa nouvelle Coccinelle, Chrysler et son PT Cruiser.

53. Le positionnement fondé sur la classe sociale

Les facteurs socio-économiques sont utiles pour distinguer les classes sociales. En 1948, Lloyd Warner, de l'Université de Chicago, publiait un ouvrage intitulé *Social Class in America*[54]. Dans son livre, Warner montrait pour la première fois que les motivations et les désirs des gens varient en fonction des classes sociales. Dans son étude, le professeur Warner observe que chaque classe sociale présente un comportement relativement uniforme et prévisible.

Pour l'essentiel, Warner identifie six classes sociales :

1. La classe supérieure élevée : les aristocrates de vieille souche.

2. La classe supérieure basse : les nouveaux riches.

3. La classe moyenne élevée : les membres de professions libérales, les cols blancs.

4. La classe moyenne basse : les employés de bureau, les commerçants, quelques ouvriers spécialisés.

5. La classe inférieure élevée : surtout les ouvriers spécialisés ou semi-spécialisés.

6. La classe inférieure basse : les ouvriers et groupes étrangers non assimilés.

Au moment de son lancement aux États-Unis, Perrier s'est positionnée comme une boisson non alcoolisée pour les classes sociales élevées[55]. À l'origine, elle était vendue dans les milieux les plus influents de la société américaine et son prix avait été fixé en conséquence (6 bouteilles de 6 1/2 onces pour 2,39 $ et 3 bouteilles de 11 onces à 1,49 $ l'ensemble, en 1978). La publicité imprimée est parue dans des magazines élitistes et la narration des annonces télévisées a été confiée à Orson Welles.

En 1986, la moutarde Grey Poupon cibla les consommateurs appartenant aux classes supérieures. Les publicités montraient des lords anglais dans leur Rolls-Royce. La campagne fit augmenter de plusieurs points les parts de marché du fabricant de moutarde.

En 2002, La Baie a modifié son positionnement, passant de la position haut de gamme à la position classe moyenne. Pour faire face à Wal-Mart, on a décidé de pousser les marques privées et de réduire les stocks de vêtements haut de gamme.

54. Le positionnement fondé sur les styles de vie

Ce positionnement permet une segmentation selon les activités, les intérêts et les opinions des consommateurs. Il est important dans la mesure où deux individus au profil démographique semblable (même nationalité, même âge, même sexe, même revenu) peuvent avoir un style de vie différent. L'un peut être extraverti et l'autre introverti ; l'un peut être imitateur, l'autre indépendant ; l'un peut être sensitif et l'autre soucieux de sa santé.

Plusieurs entreprises disposent de budgets de recherche importants pour étudier les styles de vie. Ils tentent alors de cerner les habitudes de consommation qui ont cours dans leur secteur d'activité.

Selon Adidas, il existe de nombreuses catégories de consommateurs de chaussures de sport. Certains exigent des chaussures très performantes. D'autres n'aiment pas le style *cool*. Enfin, plusieurs personnes recherchent la chaussure de sport tendance.

Coors s'est appuyée sur les styles de vie pour faire la publicité de sa bière Coors Light. Le slogan était destiné aux imitateurs et aux personnes soucieuses d'être à la mode : « *It's the right beer now.* »

Dans la publicité pour les parfums, on a identifié quatre grands archétypes de consommatrices : la femme sensuelle, le type prestige, le type romantique et le genre excentrique. La publicité pour les cosmétiques Charlie s'adresse aux femmes « indépendantes, aventureuses et modernes », celle d'Anaïs Anaïs aux « romantiques » et celle de Chanel N° 5 aux « classiques ».

Les études indiquent que les buveurs de Pepsi-Cola et de Coca-Cola sont plus extravertis que les buveurs de Dr. Pepper.

Dans le monde du marketing, la voiture Golf, de Volkswagen, est économique et amusante. Jell-O est le dessert de la famille heureuse. Les études montrent que les acheteurs de Jaguar ont tendance à être plus aventureux et moins conservateurs que les acheteurs de Mercedes-Benz ou de BMW.

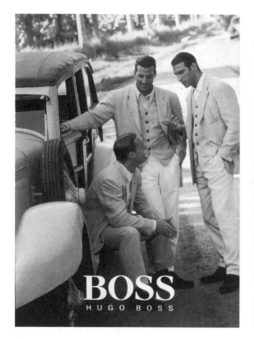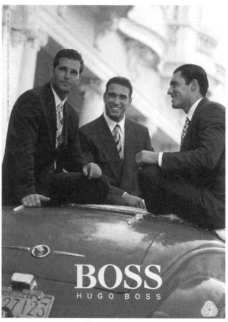

◆ *Pour jouer la carte du statut social supérieur, Hugo Boss évoque le passé et l'éducation conservatrice. Lancée en 1923, la marque occupe la position haut de gamme avec des campagnes qui donnent au produit une image à faire rêver.*

Au Québec, Molson et Labatt tentent de séduire les mêmes consommateurs, les 18 à 34 ans — c'est dans ce groupe d'âge qu'on adopte les marques auxquelles on restera plus tard fidèle. Pour segmenter, ils adoptent des chemins différents. La publicité de Labatt repose sur la culture, l'humour et les spectacles en plein air. Chez Molson, on se concentre sur le sport.

Krispy Kernels, qui vend plus de 200 produits, dont ses fameuses arachides, vend du plaisir et de la joie. « Les gens ne mettent pas les arachides sur leur liste d'épicerie ; ils n'en ont pas besoin pour vivre. Nous devons donc les amener à faire un achat impulsif », affirme André Laveau, président-directeur général de Krispy Kernels[56].

Aux États-Unis, Fox News, la chaîne câblée spécialisée en information, a dépassé sa rivale CNN grâce à son positionnement anti-élitiste et ouvertement conservateur[57]. Si CNN reste la station d'information la plus crédible selon les sondages, Fox News est en train d'imposer un ton et une identité grâce à de fortes personnalités.

Selon Normand Turgeon, professeur à HEC Montréal, « le beigne est un aliment souvenir[58]. Il est relié à notre enfance en famille. Il est consommé avec un regard sur le passé, c'est une gâterie de nos grands-mères ».

LE POSITIONNEMENT DE 4 BIÈRES AU QUÉBEC

Labatt Bleue	Humour
Molson Dry	Sociabilité
Sleeman	Aspect sympathique
Stella Artois	Haut de gamme

---

55. Le positionnement fondé sur la comportementalité

Il y a 25 ans, Claude Cossette avançait l'hypothèse selon laquelle on ne peut plus définir les gens seulement à partir de l'âge ou du revenu. Il faut aussi jeter un coup d'œil sur les comportements.

Pour segmenter la population, Cossette choisit le terme « comportementalité ». Il découpe la société québécoise en quatre groupes : les versatiles (10 % des gens), les amovibles (30 %), les mobiles (15 %) et les inertes (45 %).

- *Les versatiles.* Ces personnes sont les leaders d'opinion, elles sont toujours à l'affût des idées nouvelles, prêtes à modifier leurs attitudes profondes, leur échelle de valeurs.

- *Les amovibles.* Ces personnes sont prêtes à changer au moins pour ce qui concerne les enfants : elles rêvent de les voir accéder à une classe sociale mieux considérée.

- *Les mobiles.* Ces personnes sont facilement influencées par les courants sociaux, les modes, mais sans que cela ne modifie beaucoup leur échelle de valeurs qui est axée davantage sur le paraître que sur l'être.

- *Les inertes.* Ces personnes sont d'immuables traditionnalistes tant dans leurs relations personnelles que dans leurs comportements d'achat ; on ne peut espérer les voir s'intéresser à quelque chose de nouveau.

Le test de comportementalité servira à connaître les attitudes des cibles. Il met en lumière les caractères distinctifs des consommateurs : foi, famille, patrie, attitude vis-à-vis de l'autre sexe. Il permet aussi de sonder les valeurs d'un segment.

QU'EST-CE QUI DÉTERMINE LE POSITIONNEMENT D'UN PRODUIT ?

Le positionnement d'un produit est un travail de longue haleine. Positionner, c'est choisir une niche.

◆ *De nombreux annonceurs se font remarquer en utilisant l'espace avec imagination. Cette publicité de Labatt Bleue emploie l'humour pour se démarquer.*

Betty Crocker, le fabricant de gâteaux, a déjà tenté de lancer une ligne de céréales. Kellogg, le fabricant de céréales, a déjà essayé de mettre sur le marché des préparations à fudge. Dans les deux cas, ces multinationales ont échoué en raison de leurs positionnements respectifs. Dans l'esprit des consommateurs, Betty Crocker égale mélanges à gâteau et Kellogg's vend des céréales.

Dès 1930, Procter & Gamble a compris que chacun de ses produits devait bénéficier d'un positionnement distinctif. Tide, Crest, Pampers et Secret sont tous fabriqués par la même entreprise. Pourtant, ils ont tous un positionnement *distinct* dans l'esprit des consommateurs.

Le positionnement d'un produit dépend de plusieurs éléments. Un des éléments les plus importants dans la réussite d'un position- nement tient au *nom* que vous choisissez de donner à votre produit. Pour gagner, vous devez donner un nom qui le positionne dans l'esprit des gens.

Le nom Arctic Power pour un détergent à l'eau froide, le nom Honey Nut pour une céréale au miel et aux noix, ou le nom Big pour une tablette de chocolat de grande taille sont tous de bons exemples de noms qui positionnent efficacement le produit.

Quand vous choisissez un nom, ne faites pas l'erreur de choisir un nom qui vous limite dans vos mouvements. Si vous vous appelez Canadian Tire, les consommateurs penseront que vous ne vendez que des pneus et des marteaux. (C'est tellement vrai que pendant quelques années, le slogan de la firme était : « Canadian Tire, c'est beaucoup... beaucoup plus que des pneus ! », ce qui tend à confirmer le fait que le nom ne positionne pas efficacement la firme.)

Si vous voulez que les gens se souviennent de votre nom, faites en sorte qu'il soit court, facile à prononcer, facile à écrire et essayez d'y mettre les lettres B, C, D, G, K, P ou T. Les linguistes appellent ces let- tres des « consonnes explosives » parce qu'elles provoquent une occlu- sion de l'air lorsqu'elles sont prononcées.

Bruce Van den Bergh, alors qu'il était professeur au Michigan State University, a réalisé des recherches sur les lettres qui composent les noms de marques[59]. Il a découvert que 172 des 200 noms de mar- ques les plus vendues aux États-Unis utilisent au moins une consonne explosive. Parmi celles-ci, nommons Bic, Buick, Burger King, Cadillac, Coca-Cola, Colgate, Crest, Crisco, Datsun, Delta, Kmart, Kentucky Fried Chicken, Kodak, Kraft, Pampers, Pepsi-Cola, Pizza Hut, Polaroid, Pontiac, Tide et Toyota.

FLASH INFO

LES ÉLÉMENTS QUI DÉTERMINENT LE POSITIONNEMENT D'UN PRODUIT OU D'UN SERVICE

- Votre produit et son histoire
- Votre nom de marque
- Votre emballage : sa forme, sa texture, son odeur et sa couleur
- Votre logo
- Votre prix
- Le lieu de fabrication de votre produit et sa durée de vie
- Vos points de vente
- Le style de votre publicité, vos relations publiques, vos commandites et vos promotions
- Votre argument de vente (axe de communication, image, mise en pages, contenu rédactionnel, etc.)
- Vos porte-parole
- Votre slogan
- Vos choix de médias
- Vos modalités de paiement
- L'engagement social de votre entreprise dans la communauté
- La compétition

La sonorité de votre nom influence la perception que l'on aura de votre produit. Lexicon Naming, une entreprise spécialisée dans la création de noms de marques, a découvert que les noms débutant avec les lettres V, F, S et Z évoquent la vitesse, tandis que la lettre X suggère la précision (Timex, Lexus, Xerox)[60].

Évitez de choisir un nom de marque qui ressemble à la concurrence. En 1998, la société Fonorola a dû modifier son nom[61]. Il prêtait à confusion avec celui de Motorola.

Si vous visez éventuellement le marché américain, le choix d'un nom anglais est probablement une bonne idée. Quand Céline Dion a lancé son premier album aux États-Unis, son équipe a pris soin de faire disparaître l'accent aigu sur le *e* de son prénom.

Si vous exercez vos activités dans le domaine de la mode ou de la restauration, un nom français vous positionnera positivement dans la tête des consommateurs, car il évoque le statut social et le bon goût. Un bon exemple est le nom Cirque du Soleil. Il suggère l'exotisme et l'internationalisme, et le démarque des autres cirques.

Au milieu des années 80, lorsque le Cirque du Soleil présenta ses premiers spectacles à l'extérieur du Québec, les responsables décidèrent de traduire et de recourir au nom Sun Circus. Ce fut une erreur. Un nombre record de gens exigèrent d'être remboursés. Ils étaient déçus de ne pas voir d'éléphants et de chiens savants. Après un déficit de 750 000 $, le Cirque du Soleil reprit son nom français. Aujourd'hui, le Cirque du Soleil compte près de 3 000 employés, dont plus de 600 artistes. Il a attiré plusieurs dizaines de millions de spectateurs dans une centaine de villes.

Un nom de produit peut parfois faire toute la différence. Au Québec, Rona-Dismat est devenu Rona. Depuis ce changement de nom, Rona est l'un des noms les plus forts au Québec avec un taux de notoriété de 85 %[62]. Il n'est pas rare de voir des entreprises changer de nom en cours de route :

- Au Québec, le magazine *Madame au foyer* est devenu *Madame*.
- Familiprix a décidé d'omettre le trait d'union entre les mots Famili et Prix.
- Tilden-National a changé son nom et s'appelle maintenant Kangouroute.
- En France, Euro Disney est devenue Disneyland Paris.

- Aux États-Unis, le fabricant de cigarettes Philip Morris a choisi un nouveau nom pour évacuer le climat de négativité qui entoure son produit : Altria.

En 1971, Ralph Anspach, un professeur d'économie, conçut et lança sans grand succès un jeu connu sous le nom de Bust the Trust. Deux ans plus tard, le professeur relança le produit avec un nouveau nom : Anti-Monopoly. Ce fut le succès. En 3 ans, il vendit 419 000 jeux.

Les changements de nom peuvent coûter cher. En 1971, Esso, Enco, Standard et Jersey ont dépensé plus de 100 millions de dollars pour devenir Exxon. Dans le secteur aérien, Allegheny a payé 3 millions de dollars pour se transformer en US Airways.

●—————— FLASH INFO ——————●

CHOISIR UN NOM

Pendant longtemps, les noms des entreprises naissaient par hasard. Lorsqu'il a inventé le mot Kodak, George Eastman a choisi d'instinct la lettre K. C'était la première lettre du nom de sa mère. À la fin de son nom de marque, il décida d'ajouter un autre K. Par ailleurs, il voulait que le nom de son entreprise soit court et facile à prononcer. Enfin, avant de réserver son nom final, il s'assura qu'il n'avait pas de signification négative dans une autre langue.

De nos jours, il existe des entreprises spécialisées dans la création de noms. Si vous cherchez un nom pour un nouveau produit, plusieurs possibilités s'offrent à vous :
- Les initiales : IBM, A&W, TVA, SRC
- Les noms inventés : Kleenex, Kodak
- Les nombres : Boeing 747, Century 21, Remax 2001
- Les personnages mythologiques : les pneus Atlas, les valises Samsonite
- Les noms propres : Ford, Labatt, Molson
- Les noms géographiques : Texas Instruments, Air Canada, Quebecor
- Les mots du dictionnaire : Close-Up
- Les mots étrangers : Nestlé, Lux
- Une combinaison de mots : General Foods, Head & Shoulders

Quand vous choisissez un nom, assurez-vous qu'il n'a pas de sens péjoratif. Il y a plusieurs années, les Québécois refusèrent de se procurer le dentifrice Cue. Les consommateurs n'arrivaient pas à s'imaginer qu'un pareil nom puisse rendre les dents propres. Lors de son entrée au Québec, le shampoing Pert Plus est devenu Prêt Plus.

Récemment, la firme SPAM, célèbre pour son porc en conserve, s'est retrouvée avec un drôle de problème sur les bras. En effet, l'expression *spam* sert maintenant à évoquer des courriers électroniques indésirables. Hormel Foods a donc décidé de déposer une plainte devant l'office des brevets et des marques des États-Unis pour contester l'usage du mot *spam* en informatique.

Quand vous avez un bon nom et un bon produit, prenez soin de les enregistrer. Pour se protéger, Coca-Cola et Heinz ont enregistré la forme de leurs bouteilles. Le chocolat Toblerone a fait reconnaître la forme triangulaire de son emballage. La silhouette de E.T. est une marque protégée. Même la Metro Goldwyn Mayer (MGM) a protégé le rugissement du lion que l'on voit au début de chacun de ses films.

Le deuxième élément important dans la réussite d'un positionnement tient au *logo* qui représente votre produit. Un logo symbolise votre marque. Il doit être simple, donner une image positive de votre produit et véhiculer un message. Il doit aussi être original et traverser les années, 10 à 15 ans idéalement.

« Un logo communique beaucoup. Les formes et les couleurs transmettent des idées. Les milliers de caractères typographiques existants ont été conçus pour faire ressortir des valeurs qu'ils ajoutent aux mots », affirme Pierre Léonard, vice-président directeur général de Graphème Branding Design[63].

Quand Nike a acheté la firme Canstar en 1995, elle a planifié avec beaucoup de soin l'utilisation de son logo. Au départ, les différentes bannières de Canstar, un fabricant d'équipement de hockey — Lange, Micron, Cooper et Bauer —, ont été consolidées sous un seul chapeau : la marque Bauer. Par la suite, Nike a créé un lien entre Nike et équipement de hockey en ajoutant son nom et son logo sur des patins de hockey. Pour asseoir sa présence, Nike est devenue le fournisseur officiel de chandails dans la Ligue nationale de hockey et le commanditaire officiel de l'équipe de hockey des États-Unis lors de la Coupe du monde qui a suivi.

Le troisième élément important dans la réussite d'un positionnement est relié au *point de vente* de votre produit. Imaginons, par exemple, que vous possédez deux parfums qui proviennent des mêmes parfumeries. Supposons que les deux ont été mis au point dans le même laboratoire, qu'ils dégagent la même odeur et qu'ils ont été placés dans le même genre de bouteille. Il pourrait paraître impossible de les différencier l'un de l'autre. Mais imaginons maintenant que l'un des deux parfums est vendu en supermarché, tandis que l'autre est distribué dans des magasins chics. De toute évidence, ces deux parfums ne sont plus identiques. Ils ont des positionnements différents.

Le quatrième élément important de la réussite d'un positionnement est relié à *l'emballage* (*packaging*, en anglais) de votre produit. En 2002, l'agence Diesel a revu la présentation de la Old Milwaukee afin de capitaliser sur l'histoire de la marque, lancée en 1934.

La bière Molson Dry a modifié sa présentation en 2000 pour toucher une nouvelle génération de buveurs[64]. On a changé la typographie et la forme de l'étiquette. On a aussi ajouté des teintes d'argent au bleu. Une recherche a montré que ces différents changements avaient pour effet d'augmenter les intentions d'achat chez les non-consommateurs. La bière était aussi perçue comme plus facile à boire et de meilleure qualité.

Souvent, c'est l'emballage qui donnera aux gens le goût de se procurer votre produit. Prenons la bouteille de Coca-Cola. Conçue par Alex Samuelson et T. Clyde Edwards, elle fait son apparition sur les étagères en 1915. Selon Coca-Cola, 90 % de la population mondiale reconnaît la forme caractéristique de sa bouteille, qui sera redessinée éventuellement par le designer Raymond Loewy[65].

Pourquoi les céréales sont-elles emballées dans des contenants en carton ? Pourquoi les consommateurs préfèrent-ils le yogourt dans un emballage de plastique ? Pourquoi les Canadiens aiment-ils mieux boire de la bière dans un contenant en verre ? En publicité, l'apparence fait parfois toute la différence.

◆ *Le slogan « Coulée dans le rock » positionne Budweiser comme la bière des amateurs de musique.*

« Sans un joli flacon et une promotion visuelle adéquate, le meilleur des parfums aurait peu de chance de survivre, rappelle Mariette Julien, professeure en gestion et design de mode à l'École supérieure de mode de Montréal. La séduction d'une fragrance commence d'abord par le flaconnage[66]. »

Le cinquième élément important que vous devez prendre en considération est le *slogan* que vous décidez d'accoler à votre produit. Selon André Gide, « le slogan est un cri de guerre susceptible de rallier les gens[67] ». Il doit accrocher et motiver.

De nombreux slogans échouent parce qu'ils sont passe-partout. Ils ne positionnent pas le produit. Jugez-en par vous-même :

- Renault : « Je te veux ! »

- Fiat : « Comment ne pas l'aimer ? »

- Volvo : « On peut être pris de passion sans perdre la raison. »

- Volvo : « Sa personnalité : la vôtre. »

- Tracteur Murray : « Croisière de plaisance. »

- Mercedez-Benz : « Toutes les choses qui apportent
de la joie sont bonnes. »

- Lancia : « Si vous avez peur d'être jaloux,
on vous conseille de fermer les yeux. »

Les slogans sont efficaces pour vendre des produits peu coûteux, qui impliquent peu de risque ou qui sont achetés impulsivement. Ils résument en quelques mots la mission de l'entreprise et permettent d'implanter dans la tête du consommateur une idée simple. Les slogans créent aussi un sentiment d'unité lorsque vous utilisez plusieurs médias. En politique, ils sont incontournables.

Pour être efficace, un slogan doit être répété. Pour cela, votre slogan doit être court, facile à mémoriser et plaisant à répéter. Selon Kevin Clancy, président-directeur général de Copernicus Marketing Consulting : « Il s'agira d'identifier deux ou trois mots, ou encore une ou deux courtes phrases, puis de les implanter dans la tête des gens. Si vous réussissez, les gens eux-mêmes vont, sans le savoir, consommer votre marque et en parler autour d'eux[68]. »

À l'occasion, un bon slogan peut propulser un produit vers le succès. Quand les fabricants de Wisk introduisirent pour la première fois le slogan « Cerne autour du col », les ventes triplèrent, et ce, sans augmentation significative de publicité.

Pendant au moins cinq ans, Normand Brathwaite a répété inlassablement : « Moi, j'bois mon lait comme ça me plaît. » À la fin de la campagne, 99 % des Québécois connaissaient le slogan thème de la Fédération des producteurs de lait du Québec.

Pour relancer la Molson Ex au Québec, Cossette Communication-Marketing a conçu le slogan « Jeune depuis 1903 ». Visuellement, des publicités télévisées font évoluer des buveurs de bière à différentes époques.

Intel a révolutionné le monde de l'informatique en investissant 6 % de ses ventes dans un fonds consacré à la promotion d'un slogan. Initialement, la stratégie publicitaire reposait sur le nom du processeur, le 386X. Par la suite, on mit l'accent sur le slogan « Intel. The Computer inside » qui devint éventuellement « Intel inside ». À peu près au même moment, IBM fut le premier fabricant d'ordinateurs à utiliser le logo d'Intel sur ses produits. Depuis son lancement, la campagne d'Intel et son fameux logo ont bénéficié d'un budget publicitaire évalué à 11 milliards de dollars.

Puisque nous parlons de slogans, j'en profite pour souligner que la réussite en publicité passe par le maintien du même slogan et de la même personnalité pendant des années, voire des décennies.

Prenons Marlboro. Pendant que Winston changeait son slogan 11 fois en 35 ans, Marlboro martelait inlassablement son célèbre « Marlboro Country ». Aujourd'hui, Marlboro est la marque de cigarettes la plus vendue dans le monde. Et Winston ne cesse de perdre des plumes.

Larry Light, diplômé de l'Université McGill et vice-président exécutif de McDonald's, dit : « La plus grande erreur que les responsables de marketing font consiste à changer la personnalité de leur publicité année après année. À la fin, ils se retrouvent au pire avec une personnalité schizophrénique, au mieux sans personnalité du tout[69]. »

Difficile à réaliser, le positionnement d'un produit est encore plus difficile à modifier. Quand un produit a une image négative, il est très difficile d'améliorer son image. En 1974, Sears a tenté d'améliorer son image — et sa marge de profit — en augmentant le prix de ses vêtements pour femmes. Les revenus de la firme ont chuté de 28 %. Sears a abandonné son projet.

Si vous décidez de changer le positionnement de votre produit, faites-le graduellement. Et commencez par modifier votre emballage.

Il y a quelques années, les comptoirs Tim Hortons souffraient d'un problème de positionnement. Les consommateurs pensaient que la chaîne était américaine (alors qu'elle est ontarienne) et spécialisée dans la vente de beignes (alors qu'elle vend aussi de la soupe et des sandwichs). Pour corriger le tir, on a québécisé l'entreprise. Tim Hortons a aussi retiré le mot « beignes » de sa raison sociale afin de faire connaître la variété de ses produits.

Plus récemment, une étude Crop a montré que le magazine *Châtelaine* était perçu comme un magazine de salle d'attente lu par les femmes d'une certain âge. Pour corriger ce problème, la firme Gamache & Fils a redessiné le logo, développé une nouvelle campagne de publicité et pondu un nouveau slogan pour le magazine : «Moi, la vie, le monde.»

Si vous voulez en savoir plus long sur les dessus et les dessous du positionnement, je vous conseille de lire *Le positionnement : la conquête de l'esprit,* d'Al Ries et de Jack Trout.

Chapitre 3

Quels genres d'images attirent le plus l'attention ?

S i la publicité a tellement changé depuis deux décennies, c'est surtout à cause de l'image.

Que nous le voulions ou non, nous vivons désormais dans un monde où dominent les apparences. Que ce soit dans le domaine de la politique, de l'économie, du sport ou du marketing, l'image joue un rôle central.

Entre des mains habiles, les images publicitaires se transforment en instruments de persuasion redoutables. Selon la recherche, les publicités où l'image domine sont mémorisées par 41 % plus de lecteurs que les publicités où le texte domine. C'est dire l'importance de parler avec des images.

Quand vous faites de la publicité, l'image est souvent le seul élément perçu par le consommateur. Une compilation d'études Starch confirme la puissance des images : 44 % des lecteurs remarquent une annonce, 35 % identifient l'annonceur, mais seulement 9 % lisent plus de la moitié du texte[1].

Selon Claude Cossette, l'image a deux avantages sur le texte : « Premièrement, la signification des images voyage à la vitesse de la lumière, tandis que celle des mots voyage à la vitesse du son. Deuxièmement, les images rassemblent des éléments symboliques qui transfèrent leur sens aux objets auxquels elles sont accolées. On porte le parfum Obsession pour acquérir le pouvoir de séduction suggéré par l'image publicitaire. On conduit la nouvelle Coccinelle pour vivre la seconde jeunesse évoquée par les couleurs des affiches. »

Les publicitaires savent depuis longtemps que les consommateurs achètent des images. Déjà, en 1917, le publicitaire Walter Dill Scott affirmait que le but de la publicité n'est pas de convaincre mais de suggérer en recourant à des images.

Napoléon a dit un jour : « Si vous voulez électriser les foules, parlez à leurs yeux. » C'est également vrai en publicité.

Dans ce chapitre, nous verrons quelles sont les images publicitaires les plus efficaces et, par conséquent, comment vous pouvez réaliser des campagnes publicitaires à succès.

◆ *Dans une société où l'information est surabondante, l'image comporte un net avantage par rapport à l'écrit. Contrairement au texte, l'image communique le message à la vitesse de l'éclair.*

FLASH MÉDIA

LE RÔLE DE L'IMAGE...

À LA TÉLÉVISION

En télévision, le visuel est l'élément clé du message. Évidemment, le son est quelquefois indispensable à la compréhension de votre publicité, mais il joue en général un rôle de soutien à votre argumentation.

La télévision n'est pas faite pour les longs discours. Impliquez le téléspectateur dès le départ. Faites en sorte que les cinq premières secondes de votre publicité soient percutantes.

Si vous voulez tester l'efficacité de vos concepts télévisés, réunissez quelques personnes dans une salle. Ensuite, faites-leur visionner vos messages en prenant soin de fermer le son de votre appareil de télévision. Si les gens n'arrivent pas à saisir l'essence de votre commercial en l'absence de son, votre message télévisé est mal conçu. Recommencez.

À LA RADIO

Certains publicitaires vous diront que l'absence de visuel réduit l'efficacité de la publicité radiophonique. Ils oublient de vous dire qu'il n'y a rien de plus fort que le bruit d'une vague pour évoquer une chaude plage du Sud.

La radio est le média du rêve. Les mots, la musique et les silences permettent d'évoquer des atmosphères et des lieux. En radio, l'auditeur est constamment appelé à imaginer une scène. Ce ne sont pas ses oreilles qui sont sollicitées ; c'est son imagination.

EN AFFICHAGE

Dans la publicité imprimée, le lecteur a le temps de s'arrêter devant une publicité et de lire votre texte. Une affiche n'a pas cette chance. Elle ne dispose que d'une fraction de seconde pour attirer le regard. À cause de cela, le panneau-réclame n'a pas le choix d'être spectaculaire.

Le panneau-réclame est le média qui dépend le plus de la qualité de la communication. Michel Valois, directeur du développement des affaires chez Mediacom, affirme : « Pour qu'un message soit compréhensible en un aperçu de quelques secondes, sa conception demande un important exercice de synthèse. Il ne doit livrer que l'essentiel, l'idée centrale[2]. »

DANS LE MAGAZINE

Le magazine permet de bâtir une image de marque. C'est un média par lequel vous pouvez acquérir le plus de raffinement et d'esthétisme.

Le magazine est perçu comme un média prestigieux. C'est aussi une source d'information crédible. « On oublie souvent que les magazines permettent de rejoindre des consommateurs alors qu'ils sont particulièrement bien disposés : bien assis, détendus, dans un univers qui leur est cher », affirme Charles Choquette, président de Mediavision (Paul Martel) inc.[3]

DANS LE QUOTIDIEN ET L'HEBDOMADAIRE

Votre image doit occuper le plus d'espace possible dans votre mise en pages. Il y a des années, vous pouviez vous permettre de faire de la publicité dans un média imprimé sans utiliser d'images. Mais dans les conditions actuelles, cela n'est plus possible.

SUR INTERNET

Internet est un média spectaculaire. Il offre une infinité de moyens visuels pour attirer l'attention. Certains logiciels permettent de produire de l'animation, par exemple, un avion qui traverse une banderole ou des gens qui dansent.

COMMENT ATTIRER LE REGARD

Pour attirer l'attention sur vos publicités, parlez avec des images. Si vous avez cinq heures à mettre sur une annonce, passez-en quatre sur le choix de votre image.

Je partage cette opinion du publicitaire français Henri Joannis : « Il faudra chercher à communiquer notre message non pas en l'exprimant verbalement, mais en le représentant ; l'annonce la plus efficace sera celle qui requerra le moins possible de lecture pour être comprise[4]. »

Voici 10 trucs pour augmenter l'efficacité de votre image.

1. Montrez le produit

Chaque fois que cela est possible, faites de votre produit le sujet principal de votre image. Dans son livre *Tested Advertising Methods,* John Caples rappelle qu'il y a quatre sortes d'images efficaces : « Celles qui montrent le produit lui-même, l'usage que l'on fait du produit, des gens qui utilisent le produit ou la satisfaction qu'on obtient à utiliser le produit[5]. »

2. Injectez du capital humain

Montrez des gens utilisant votre produit. En moyenne, les publicités illustrées avec des personnages obtiennent des valeurs d'attention et de mémorisation deux fois plus élevées que les publicités sans personnage du tout.

Les images qui attirent le plus l'attention des lecteurs sont celles qui montrent un visage. Pierre Martineau, spécialiste de la recherche publicitaire, explique cet engouement : « Si le lecteur peut s'identifier aux utilisateurs du produit, s'il peut se voir dans la situation, ses sentiments entrent en jeu et il s'apprête à accepter le message publicitaire et à avoir la conviction que le produit est excellent. Le personnage doit être quelqu'un comme vous et moi, de sorte que je puisse me voir dans la même situation, quelqu'un que j'admire, quelqu'un que je souhaiterais être[6]. »

Curieusement, les hommes et les femmes ont tendance à accorder leur attention aux images qui montrent des personnes de leur propre sexe. En général, les photographies représentant des femmes sont remarquées par 33 % plus de femmes que d'hommes. Par ailleurs, les photos qui montrent des hommes sont remarquées par 50 % plus d'hommes que de femmes[7].

● ── **FLASH** INFO ── ●

CONCEVEZ DES IMAGES « EMPATHIQUES »

Au début des années 50, un mot est devenu à la mode en publicité : c'est le mot *empathie*. Selon Stephen Baker, une image efficace est une image qui touche personnellement. D'après Baker, il existe sept recettes pour créer des images empathiques :

1. Le visuel représente une activité familière pour le lecteur de façon à ce qu'il puisse y croire.

2. On choisit des modèles auxquels les lecteurs peuvent s'identifier : des gens sympathiques et, de préférence, plus jeunes qu'eux.

3. L'annonce ne rappelle pas des situations désagréables.

4. Il n'y a rien dans l'annonce qui va à l'encontre des convictions morales du lecteur.

5. On ne propose surtout pas de faire une chose compliquée, difficile ou pénible.

6. On promet que ses désirs seront réalisés grâce au produit ou au service annoncé.

7. Il y a quelqu'un dans l'illustration — un héros, une héroïne — auquel le lecteur a toujours rêvé de ressembler.

● ─────────────── ●

◆ *En règle générale, les images qui contiennent des personnages suscitent un degré d'attention et de mémorisation deux fois plus élevé que les publicités sans personnage. Pour comprendre comment Jockey a pu prendre ce cliché, tournez la publicité d'un quart de tour.*

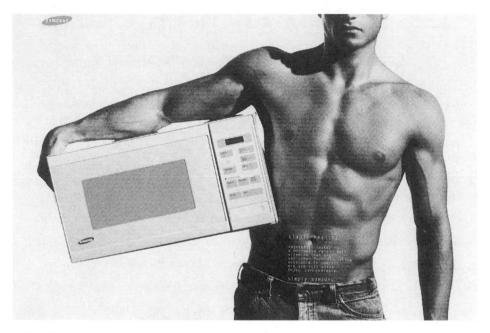

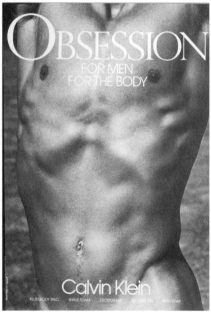

◆ *La publicité affirme, répète et martèle. C'est masculin, viril. Dans la pub, l'homme est un homme d'action. Depuis quelque temps, on lui fait jouer aussi un rôle de figuration. Il devient alors objet sexuel.*

Dans le secteur des magazines, une étude du magazine *Elle* a montré l'importance de bien choisir le mannequin en couverture. Selon Marie-Claude Girard, journaliste à *La Presse,* on a découvert que les lectrices aux cheveux bruns préfèrent les brunes et que les femmes qui soupçonnent leurs maris d'avoir un petit faible pour les blondes n'achètent pas un magazine qui met une blonde sur sa page couverture[8].

En publicité, les recherches indiquent que les annonces qui montrent des jeunes obtiennent des taux de lecture légèrement supérieurs à celles qui présentent des gens plus âgés. Par ailleurs, chaque sexe préfère son propre sexe plus âgé et le sexe opposé plus jeune[9].

Quand vous vous adressez aux enfants, évitez de projeter une image de gamin. Utilisez des personnages légèrement plus vieux que la cible — deux ou trois ans plus âgés. Si vous hésitez entre un garçon et une fille, McCollum Spielman indique que les garçons vont générer des résultats supérieurs[10]. À l'inverse, si votre produit est destiné aux gens plus âgés, choisissez un porte-parole de 10 à 15 ans plus jeune.

Pour favoriser l'identification, utilisez des représentants des minorités visibles dans vos images. En publicité, les études indiquent que les Blancs réagissent mieux aux acteurs blancs, tandis que les Noirs ont une attitude plus positive à l'égard des acteurs noirs[11].

Les publicitaires savent depuis longtemps que les comportements de consommation sont fonction de la culture — valeurs, normes, langues. En ciblant en fonction des cultures, vous augmenterez vos ventes et vos profits. Malgré tout, certaines vedettes transcendent les cultures : Bill Cosby (Jell-O), Ray Charles (Pepsi-Cola) et Magic Johnson (Gatorade).

◆ *Chaque fois que cela est possible, donnez une touche d'« humanité » à votre visuel.*

Ce n'est pas parce que votre visuel publicitaire est efficace dans un marché qu'il le sera ailleurs. Il y a quelques années, un commercial télévisé de Diet Coke montrait le Grand Canyon et des images typiquement américaines. En France, ces images ont été jugées trop « américaines » par les consommateurs. On décida donc de modifier certains visuels et d'en ajouter d'autres.

En Australie, la vedette de rugby Jacko a permis à Eveready d'augmenter ses ventes de piles. Cependant, en Amérique, la campagne fut un échec. Les consommateurs trouvaient Jacko trop agressif.

◆ *L'image est un langage. Elle dispose d'une panoplie de symboles pour s'exprimer et s'adapter. À gauche : concept développé en Europe. À droite : adaptation canadienne ; la pose est similaire, mais on habille le modèle.*

◆ *Quand vous voulez donner du punch à votre image, les trucages visuels sont toujours les bienvenus.*

◆ *En présentant des individus issus des minorités ethniques dans vos images, vous favorisez l'identification à votre produit.*

3. Utilisez des photos

Si la qualité de l'impression vous le permet, je vous conseille d'illustrer vos publicités avec des photographies plutôt qu'avec des dessins. « En moyenne, écrivent Jane Maas et Kenneth Roman, les publicités illustrées avec des photos sont retenues par 26 % de lecteurs de plus que les publicités illustrées avec des dessins[12]. » Toutefois, je vous recommande d'utiliser le dessin dans les cas suivants :

- Quand vous voulez suggérer une atmosphère *in,* un grand style de vie.

- Quand vous voulez révéler une physionomie ou une émotion.

- Quand votre message s'adresse à de jeunes consommateurs et que vous voulez utiliser l'humour.

Que vous utilisiez une photo ou un dessin, votre visuel doit être la star. En effet, dans la jungle d'aujourd'hui, les gens ont appris à sauter d'une image à une autre pour découvrir ce qu'on leur offre.

4. Utilisez un personnage fictif

Les images qui utilisent un personnage ou un animal comme symbole du produit obtiennent des résultats nettement supérieurs à la moyenne. « En rendant une personnalité célèbre, dit Claude Hopkins, vous rendez son produit célèbre. Les êtres humains ne s'intéressent pas aux sociétés anonymes. Ils s'intéressent aux gens et à leurs réalisations[13]. »

Dans le monde de la publicité, les personnages fictifs qui ont rendu leur produit célèbre abondent : le p'tit bonhomme Pillsbury, le cow-boy de Marlboro, Tony le Tigre, M. Net, Monsieur B, l'agent Glad, Aunt Jemima, Betty Crocker, le réparateur Maytag, le Géant Vert, etc.

◆ *Quand vous voulez révéler une physionomie, une émotion ou miser sur la nostalgie, un dessin peut être efficace.*

"Pour la pause qui rafraichit...
Apportez le Coke chez vous!"

◆ *Savez-vous qu'on doit à Coca-Cola le père Noël tel qu'on le connaît aujour-d'hui? En 1931, la compagnie cherchait un moyen de populariser son breuvage en hiver. Elle a alors demandé au Suédois Haddon Sundblom de dessiner le père Noël en train d'en boire pour reprendre des forces pendant la distribution des cadeaux. Sundblom a ainsi fait subir plusieurs transformations au personnage d'origine: il l'a fait sourire, lui a fait prendre du poids et porter du rouge et blanc (les couleurs du produit) plutôt que du bleu, du jaune ou du vert. Pour le visage, Sundblom s'est inspiré initialement d'un livreur de la célèbre boisson gazeuse. À la mort du livreur, Sundblom a dû chercher un nouveau visage. En manque d'inspiration, il a alors décidé de prêter ses propres traits au père Noël!*

Il y a plusieurs années, Kraft a relancé ses cristaux Kool-Aid en créant le pichet Kool-Aid. Des années auparavant, Antonio Gentile, un écolier de Suffolk, en Virginie a dessiné un personnage qui est devenu célèbre : Mr. Peanut. Pour le remercier, on lui a alors donné 5 $.

Dans un sondage réalisé en 1985, 93 % des ménagères étaient familières avec M. Net, tandis que seulement 56 % pouvaient identifier le vice-président George Bush[14].

Le Colonel Sanders est l'un des personnages fictifs les plus célèbres de l'histoire de la publicité. En 1955, le Colonel Sanders tient un petit restaurant de poulet frit le long d'une autoroute. Forcé de fermer, il contacte quelques restaurants afin de leur faire déguster sa nouvelle recette de poulet. Trois ans plus tard, il commence à vendre des franchises. Il loue les chaudrons et laisse au coût d'achat le papier, les serviettes de table et les verres de carton. En 1964, il se départit de son entreprise pour deux millions de dollars.

Herb the Nerd est l'un des rares exemples de personnage fictif qui n'a pas su percer le marché. En 1986, Burger King crée Herb, un petit casse-pieds à grandes lunettes. La campagne de 40 millions de dollars est un échec. En effet, les consommateurs associent Herb, un cancre, au client typique de Burger King.

5. Utilisez un personnage de face

Avant de décider quelle position prendra votre personnage, vous devez savoir que chaque position est pleine de significations.

Dans son livre *Intelligence de la publicité*, Georges Péninou distingue trois situations caractérisées par la position du personnage : celle où le personnage est de face, celle où il se présente de profil et celle où il est placé de trois-quarts.

- *Le personnage de face.* Il parle, raconte ou interpelle. Il s'adresse directement au lecteur. Le personnage de face est le moyen le plus efficace de retenir l'attention.

- *Le personnage de profil.* Le lecteur devient spectateur. Il est le témoin d'une action qui se déroule devant lui.

- *Le personnage de trois-quarts.* Il exprime toutes les nuances de la psychologie du personnage. On est dans l'univers du mystère, de la tentation, du narcissisme : introversion, introspection, rêverie, domaine de l'incertain et du délicat mais aussi de la sensibilité.

Depuis des années, la publicité du lait aux États-Unis emploie une image de face particulièrement simple et percutante : on y voit des personnalités du cinéma, du sport et de la musique photographiées de face et arborant une moustache de lait.

6. Suggérez le mouvement

Mettez du mouvement dans votre illustration. Les objets en mouvement attirent davantage l'attention des lecteurs que les objets inanimés.

La photographie peut sembler plus apte à arrêter le mouvement qu'à le rendre. Pourtant, vous pouvez suggérer le mouvement en recourant à ces trois techniques :

- En vous servant d'une série de photos qui rendent les principaux moments de l'action.

- En faisant en sorte que le déplacement de votre sujet — ou de votre appareil — crée un flou : flou du lointain et netteté du premier plan, ou encore flou du premier plan et netteté du lointain.

- En utilisant une photo nette mais prise à un moment si important de l'action que le lecteur la regardera et la complétera mentalement.

Diriger son regard vers tout ce qui bouge est une réaction innée. Nos yeux sont involontairement attirés par le mouvement comme le papillon l'est par la lumière.

◆ *Les images qui suggèrent le mouvement attirent toujours l'attention.*

7. Employez des images de format régulier

Les formes ayant des contours géométriques précis captent le regard. Les recherches indiquent que les photographies rectangulaires attirent plus l'attention que les photographies aux formes irrégulières. Les photographies rectangulaires ont un autre avantage: elles sont plus crédibles.

Plusieurs études ont montré que l'esprit humain se refuse à considérer le monde qui l'entoure comme un désordre. Nous cherchons continuellement à y retrouver des formes familières, des formes qui répondent à des qualités de simplicité géométrique comme le triangle, le carré et le cercle.

8. Cadrez serré

Grâce au cadrage, vous pourrez choisir de mettre l'accent sur certains détails. Il y a sept façons de cadrer votre photo :

- *Le plan d'ensemble.* Il embrasse un vaste paysage — désert ou habité par un ou plusieurs personnages qui, à l'échelle, paraissent tout petits[15].

- *Le plan de demi-ensemble.* Il place votre personnage dans son cadre et présente donc un décor beaucoup plus restreint (une pièce, la façade d'une petite maison, etc.).

- *Le plan moyen.* Il montre votre personnage en pied pour souligner l'attitude générale de son corps.

- *Le plan américain.* Il fait voir votre personnage de plus près. Le lecteur peut ainsi avoir une vision plus claire de l'activité du personnage.

- *Le plan rapproché.* Il prend un ou deux personnages en buste. On distingue parfois le plan demi-rapproché qui coupe le personnage à la ceinture.

- *Le gros plan.* Il attire l'attention de votre lecteur sur un visage ou sur un objet de même surface.

- *Le très gros plan.* Il a pour sujet un détail.

En cadrant serré, vous évacuez de la photo ce qui est contraire à la signification que vous désirez lui donner. Vous augmentez ainsi vos chances d'être perçu.

◆ *Gros plan ou plan d'ensemble? Tout dépend de votre objectif. Si vous voulez mettre en évidence une particularité de votre produit, le gros plan est de mise.*

9. Ne laissez pas vos lecteurs s'égarer

Soyez très simple dans vos images. Assurez-vous que votre photographie répète exactement la même chose que votre texte. Si vous écrivez « cette bière vous rafraîchira », montrez en même temps une bière froide. La répétition est un facteur facilitant l'apprentissage et la mémorisation.

Une étude conduite par Ogilvy & Mather indique qu'un tiers de la publicité est mal compris[16]. Lors d'un test, plus de 40 % des gens pensaient qu'une annonce de Cointreau faisait la promotion d'une huile de bain. Pire encore, 45 % estimaient qu'une annonce pour une banque vantait les mérites d'une mallette.

Après les attentats du 11 septembre 2001, le détaillant Kmart utilisa une image simple pour frapper l'imagination et être compris de tous : un drapeau américain sur une pleine page. On pouvait aussi y lire : « Instructions : Retirer du journal. Placer dans une fenêtre. Goûter la liberté. » La signature de Kmart apparaissait en petits caractères en bas, à gauche. Des milliers de New-Yorkais placèrent cette publicité dans leurs fenêtres.

FLASH INFO

SOYEZ HONNÊTE

Depuis quelque temps, des photographies retouchées ou truquées ont donné lieu à des histoires embarrassantes. Quelques exemples :

- Volvo a utilisé un renforcement spécial du châssis pour mieux résister aux coups lors de la prise de photos.

- Campbell a placé des billes dans le fond d'une assiette à soupe pour rendre son contenu plus consistant[17].

- Le ministère du Tourisme des Bermudes s'est approvisionné dans une banque d'images pour illustrer une publicité. Malheureusement, les photos n'avaient pas été prises aux Bermudes[18]. Une première photo montrant une femme sur une plage provenait en fait de Hawaii. Deux autres photos montrant un nageur et un plongeur avaient été prises en Floride.

◆ *Pour retenir l'attention, le meilleur appât reste une image-choc.*

10. Soyez original

Pour attirer l'attention dans l'environnement publicitaire d'aujourd'hui, il faudra frapper fort. « Pour franchir l'encombrement publicitaire, contrer l'effort des compétiteurs et percer la barrière de l'indifférence des consommateurs, écrit René Déry dans son livre *L'idéation publicitaire*, une idée devra posséder un fort pouvoir d'évocation[19]. »

Pour le meilleur et pour le pire, la publicité est partout. En 1968, Raymond Augustine Bauer, professeur à la Harvard Business School, et Stephen A. Greyser, professeur de marketing au Strathclyde Business School, estimaient que le consommateur nord-américain voyait quelques centaines de messages publicitaires chaque jour[20]. Vingt-cinq ans plus tard, Regis McKenna, directeur en chef de la firme de consultants McKenna Group, évalue que nous sommes potentiellement exposés à

3 000 messages publicitaires par jour. De ce nombre, affirme Marc Bourbonnais, associé et responsable du développement des affaires de Publicité Urbaine, six attirent notre attention et deux sont conservés en mémoire[21]. C'est dire le défi du publicitaire.

Le publicitaire William Bernbach affirme : « Pourquoi quelqu'un devrait-il porter attention à votre annonce ? Le lecteur n'achète pas son magazine pour lire votre message publicitaire ; l'auditeur n'a pas branché sa radio pour entendre ce que vous avez à dire... À quoi cela sert-il d'écrire ou de dire les meilleures choses du monde si personne n'est là pour les lire ou les entendre ? Et, croyez-moi, personne ne lira ou n'écoutera vos annonces si vous ne vous exprimez pas avec fraîcheur, originalité et imagination... Si, en d'autres termes, elles ne sont pas différentes[22]. »

Dans son livre *Méthodologie appliquée au problem-solving*, Pierre Lemaître propose une technique en sept étapes pour générer des idées qui vendent :

1. Poser le problème.

2. Recueillir l'information pertinente.

3. Faire l'analyse de cette information.

4. Faire l'inventaire des solutions.

5. Décider de la solution souhaitable.

6. Planifier la mise en œuvre de la solution.

7. Évaluer l'efficacité de cette solution.

Dans le quotidien, la plupart des rédacteurs publicitaires recourent au remue-méninges (ou *brainstorming*) pour générer des idées originales. Créée à l'origine par Alex F. Osborn, cette méthode permet de trouver des idées à profusion. Elle repose sur un constat tout simple : le travail de groupe stimule l'esprit de compétition. Le *brainstorming* permet aussi à chacun de concevoir un plus grand nombre d'idées, spécialement lorsque le problème est posé simplement et concrètement.

Une séance de remue-méninges doit respecter quelques règles simples. D'abord, il ne faut pas porter de jugement critique sur les idées que lancent les autres participants. Par ailleurs, il faut encourager la quantité et donc, laisser place à l'imagination débridée. Enfin, il faut encourager l'enchaînement des idées pour trouver d'autres idées. Évidemment, il s'agit d'une technique qui se pratique en équipe.

Mine de rien, le défi du créateur publicitaire est double. Il faut attirer l'attention des consommateurs et être compris de tous. Pas facile…

QUELS SUJETS CAPTENT LE PLUS L'ATTENTION ?

Si vous voulez que vos publicités aient un impact vendeur, il faudra qu'elles retiennent l'attention. Comme le dit Victor Schwab, « une publicité ne peut pas vendre si elle n'est pas lue ; elle ne peut pas être lue si elle n'est pas vue ; et elle ne peut pas être vue si elle n'attire pas l'attention[23] ». Il y a 11 genres de photographies qui intéressent particulièrement les lecteurs[24]. Ce sont :

1. Les nouveaux mariés

2. Les bébés

3. Les animaux

4. Les personnages célèbres

5. Les personnages revêtus de costumes originaux

6. Les personnages aux allures étranges

7. Les photos qui racontent une histoire

8. Les scènes romantiques

9. Les catastrophes

10. Les sujets qui font la manchette

11. Les photos dont le contenu coïncide avec des moments forts de la vie

Une idée brillante pour la collation.

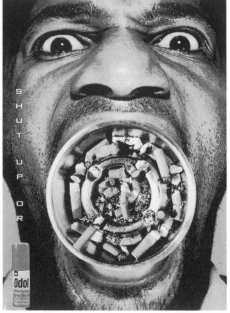

◆ *Pour vous faire remarquer par les lecteurs, présentez-leur quelque chose de nouveau.*

On sait que les hommes préfèrent les photos d'animaux, particulièrement celles qui montrent de gros chiens. Les femmes accordent davantage d'attention aux photos de bébés et de jeunes enfants. Par ailleurs, les photos de personnages célèbres suscitent l'intérêt des deux sexes.

En publicité, il y a une vieille recette qui veut que pour attirer l'attention, il faut montrer un bébé, un enfant, un animal ou une femme séduisante. Que ce soit pour Michelin, pour McDonald's ou pour Saturn, les bébés ont démontré qu'ils peuvent attirer l'attention et augmenter substantiellement les ventes.

Cependant, ne vous méprenez pas. Ce n'est pas parce que votre photo attire l'attention qu'elle va faire acheter votre produit. Pour que votre photo amène votre lecteur à se procurer votre produit, il faudra qu'il y ait un lien entre celle-là, votre produit et votre concept. Une publicité d'ordinateur illustrée à l'aide de bébé ne fera pas vendre plus d'ordinateurs, pas plus que les animaux que vous pouvez voir dans des publicités de détergents ne feront vendre ces produits.

Les photos de jeunes enfants sont idéales pour vendre des bonbons, de la gomme à mâcher, de la crème glacée, des gâteaux, des céréales et des boissons gazeuses. Mais elles performent sous la moyenne en ce qui a trait au service financier, aux instruments agricoles et aux produits de jardinage.

DEVEZ-VOUS UTILISER DE JOLIS MODÈLES ?

Le choix du modèle dépend du genre de produit pour lequel vous faites de la publicité. Si vous vendez des produits qui ne sont pas reliés à la séduction (du café, par exemple), Baker et Churchill indiquent que des femmes séduisantes sont moins efficaces[25]. En revanche, si vous vendez des produits reliés à la séduction (du parfum, par exemple), les femmes séduisantes donnent d'excellents résultats.

◆ *Les publicitaires savent que le public est fasciné par les photographies de nouvelle mariée.*

Curieusement, la présence d'une belle femme modifie la perception de votre produit. Lors d'une étude, Smith et Engel ont montré qu'une automobile accompagnée d'une belle fille est perçue comme étant plus attirante, plus jeune, plus rapide, plus chère, plus puissante et moins sécuritaire qu'une automobile entourée d'images plus neutres[26].

La recherche a montré que nous assignons aux belles personnes des qualités comme le talent, la gentillesse, l'honnêteté et l'intelligence. Les personnes séduisantes sont, en outre, perçues comme étant plus actives sexuellement, plus sociables et plus extraverties que les personnes moins séduisantes.

◆ *Plusieurs annonceurs présentent des enfants dans leurs images. C'est souvent une bonne idée. Les photographies d'enfants attirent presque deux fois plus l'attention que tout autre genre de photo, spécialement au Québec.*

Des annonceurs comme Dior, Valentino, Ungaro et Vuitton utilisent souvent des images à caractère sexuel. Ce n'est pas toujours une bonne idée. Le publicitaire américain Major Steadman a présenté à des hommes des photos contenant des allusions sexuelles et d'autres n'en contenant aucune[27]. Après un certain temps, Steadman a constaté que les noms de marques accompagnés de jolies filles en tenue légère étaient moins bien mémorisés que les noms de marques accompagnés d'images plus neutres. Wayne Alexander et Ben Judd ont fait des recherches sur le même sujet et ils ont obtenu des résultats similaires[28]. Ce phénomène, par lequel une image absorbe toute l'attention aux dépens du produit ou de l'annonceur, est connu sous le nom de vampirisme de la communication.

◆ *Les images qui utilisent le sexe comme simple moyen d'attirer l'attention obtiennent des résultats inférieurs à la moyenne.*

◆ *Deux publicités qui recourent à la sensualité pour capter l'intérêt.*

LES IMAGES QUI AUGMENTENT LES VENTES

La liste des images qui augmentent les ventes est courte. Pour que votre image en fasse partie, montrez:

- *Une certaine partie de votre produit.* Cela permet de focaliser sur un élément précis de votre produit. C'est une image efficace si votre produit se démarque de la compétition.

- *Votre produit en utilisation.* Cela permet de créer de l'intérêt autour de votre produit. Ce visuel favorise aussi l'identification. Mais attention : concevez une image simple. Le produit doit toujours rester la vedette.

- *Comment utiliser votre produit.* Utilisez ce genre d'image si votre produit est nouveau sur le marché ou si les consommateurs estiment à tort que son utilisation est complexe.

- *La satisfaction qu'on obtient à utiliser votre produit.* Idéalement, toute publicité doit évoquer visuellement le plaisir qui résulte de l'utilisation de votre produit. Cette image permet d'illustrer ce que le produit fera pour le consommateur.

- *Votre produit.* C'est l'image la plus simple. Elle est efficace si votre produit a du style et du panache. C'est idéal si votre produit occupe le créneau haut de gamme comme un parfum ou une voiture de luxe.

- *Votre emballage.* Il est important si vous avez changé d'emballage, si votre produit est nouveau ou peu connu.

LES TÉMOIGNAGES DE VEDETTES

Les annonces qui utilisent des témoignages de vedettes donnent de bons résultats. En général, les stars augmentent le capital de sympathie et la crédibilité du produit. Une étude réalisée par Video Storyboard Tests auprès de 30 000 consommateurs a montré que 10 des 25 annonces télévisées les plus appréciées en 1986 utilisaient des célébrités [29].

Au Québec, 10 % des messages ont recours à un porte-parole connu ou à un comédien pour vanter un produit [30]. Aux États-Unis, un commercial sur cinq utilise une star [31]. Ce n'est pas un hasard. En plus de favoriser l'attention et l'identification, les vedettes bénéficient généralement d'un fort capital de sympathie.

« La publicité est quelque chose qui vend, par tous les moyens possibles. Les vedettes font partie de ces moyens, et au Québec, elles sont accessibles », rappelle Jacques Bouchard, fondateur de BCP et auteur des *36 cordes sensibles des Québécois* [32].

La publicité de Mikes mettant en vedette Ginette Reno a entraîné une hausse des ventes de 7 % à 10 % [33].

La campagne de publicité de la Boulangerie Gadoua avec Lise Dion a permis de doubler les ventes en cinq ans [34]. Pour augmenter sa notoriété, l'entreprise fondée en 1911 a conçu une campagne de publicité autour de l'humoriste et misé sur un positionnement simple : un pain moelleux.

Lancée en 1997, la campagne de madame Dion utilisait la radio et s'adressait directement aux clientes. Gadoua demandait aux consommateurs d'exiger les produits Gadoua. Pour faciliter l'association entre la marque et la star de l'humour, Gadoua fit imprimer la photo de la porte-parole sur les emballages de pains. En décembre 2000, trois produits de la boulangerie se classaient parmi les 10 plus vendus au Québec.

À l'échelle mondiale, la croissance de Nike a été remarquable à partir du moment où l'entreprise a signé un contrat de publicité avec Michael Jordan en 1985.

Même les grandes maisons de beauté ont remplacé les mannequins vedettes par des stars de cinéma. Quand Brooke Shields déclara dans une publicité ne rien mettre entre elle et ses jeans Calvin Klein, les ventes du produit augmentèrent de 300 %.

Voici 10 bonnes raisons de faire appel à une célébrité :

1. Quand votre produit n'existe que par une vedette

C'est le cas, par exemple, du parfum Glow de Jennifer Lopez ou des vitamines Bugs Bunny mettant en vedette le célèbre lapin.

2. Quand la célébrité communique fortement la personnalité de votre produit

Si vous employez une star, il est important de vous assurer qu'il y a un lien entre la vedette choisie, le produit et le public cible. Si le lien se fait facilement, la campagne sera un succès : Catherine Deneuve et Chanel N° 5, Hank Aaron et Wheaties.

S'ils apparaissent déplacés, les témoignages de vedettes obtiendront de piètres résultats. Les exemples d'échecs sont nombreux. Parmi les plus récents, citons Grace Jones pour les cyclomoteurs Honda, David Copperfield pour Kodak, Jack Klugman pour les photocopieurs Canon, Burt Lancaster pour MCI, Kirk Douglas pour Sperry, Peter Sellers pour TWA et John McEnroe pour les rasoirs Bic jetables.

Même si elle s'exprimait en français, Candice Bergen n'a pas réussi à augmenter les ventes de Sprint au Québec. Au bout d'un certain temps, on a préféré utiliser des vedettes locales et toucher différents segments : Jean-Luc Brassard, Dominique Michel et Jacques Languirand.

Lorsque les fabricants de l'analgésique Datril réussirent à convaincre John Wayne de vanter les mérites de leur produit, on pensait avoir décroché le gros lot. Mais les consommateurs ne prêtèrent pas foi aux arguments de Wayne. Des études ultérieures montrèrent que le public ne pouvait tout simplement pas imaginer le célèbre cow-boy aux prises avec un mal de tête.

3. Quand votre porte-parole est perçu comme un expert dans le domaine

Les spécialistes génèrent des changements d'attitudes plus élevés que ceux qui ne le sont pas [35]. Les exemples abondent : Jacques Duval pour les automobiles Ford, Michael Jordan pour Nike, Patrick Roy pour Gatorade ou Wayne Gretzky pour les patins Daoust.

4. Quand vous cherchez à tout prix la notoriété

Pour acquérir rapidement un taux de notoriété satisfaisant, Friedman et Friedman ont montré que la célébrité est un formidable accélérateur [36]. Dans les faits, la vedette représente une assurance sur la visualisation de votre annonce. À cet égard, les vedettes féminines génèrent des résultats plus élevés que les vedettes masculines.

Après avoir diffusé le commercial mettant en vedette Madonna, la publicité de Pepsi est devenue rapidement le commercial dont on se souvenait le plus aux États-Unis. Une étude de McCollum Spielman indique que les commerciaux utilisant des vedettes génèrent des taux d'attention et de changement d'attitude 41 % plus élevés que la moyenne [37].

5. Quand vous voulez percer un nouveau marché

Pour pénétrer un nouveau marché, la star locale est souvent un incontournable. Pour les multinationales américaines intéressées au marché de la Chine, le joueur de basket-ball Yao Ming s'est révélé un puissant accélérateur. Tour à tour, Apple, Visa, Gatorade, Coca-Cola et Nike ont signé des contrats avec le joueur des Rockets de Houston. Ming a généré des revenus publicitaires de 10 millions de dollars en 2003.

6. Quand vous vous adressez à des jeunes

En 1983, Charles Atkin et Martin Block ont étudié l'effet des célébrités sur les consommateurs [38]. Ils ont remarqué que les vedettes sont très efficaces pour vendre de l'alcool aux adolescents.

Quand Steven Spielberg a fait manger des Reese's Pieces à son petit extraterrestre dans le film *E.T.*, les ventes du bonbon coloré ont augmenté de 70 % en deux mois [39].

7. Quand vous voulez une annonce agréable, vivante et moderne

Personne n'est mieux placé pour divertir et plaire que le chanteur ou l'acteur : Michael Landon pour Kodak, Bill Cosby pour Jell-O, Whitney Houston pour Coke ou Tina Turner pour Pepsi.

Le héros de bandes dessinées Bart Simpson a aidé à hausser les ventes de la tablette de chocolat Butterfinger. Selon Bob Sperry, responsable du marketing chez Nestlé, « Butterfinger était perçue auparavant comme une tablette vieux jeu, sans personnalité. Notre objectif consistait donc à la mettre au goût du jour en l'associant à Bart Simpson, un personnage contemporain [40] ».

Charlie Chaplin est à l'origine d'une des campagnes de publicité les plus efficaces et les plus amusantes d'IBM. La campagne destinée à démystifier la technologie IBM parvint à repositionner une firme peu reconnue pour son sens de l'humour.

8. Quand vous êtes dans le domaine des services et des grandes causes

C'est le cas de Ginette Reno pour la Croix-Rouge, de Guy Lafleur pour Leucan ou de Michel Barrette et Louis-José Houde pour Nez Rouge.

9. Quand il y a un risque élevé ou un intérêt faible pour votre produit

La vedette peut rassurer le consommateur et entraîner chez lui une certaine curiosité. Pour certains, le simple fait que Christie Brinkley boive de la Natural Light d'Anheuser-Busch est une raison suffisante pour essayer le produit.

En utilisant le chanteur rap Marky Mark dans des poses suggestives, Calvin Klein parvint à augmenter de 40 % ses ventes de sous-vêtements, une catégorie de produits qui suscite généralement peu d'intérêt [41].

10. Quand votre cible est trop large ou trop pointue

Pour des communications destinées à des millions d'individus ou pour des produits vendus à des petits groupes de consommateurs, le porte-parole permet de livrer un message cohérent et fort.

Curieusement, les témoignages de personnes célèbres sont plus efficaces au Québec que dans le reste du pays et aux États-Unis. Jacques Bouchard, le père de la publicité au Québec, explique ce phénomène : « Contrairement aux pratiques de la publicité américaine ou canadienne-anglaise, la vedette d'un commercial n'est pas perçue comme porte-parole ou endosseur de prestige. Au Québec, le porte-parole, devenu archétype, est une partie du message [42]. »

◆ *Les témoignages de vedettes sont plus efficaces au Québec que dans le reste du pays. Une personnalité comme Daniel Lemire garantit le visionnement du message. Le jeu de mots ajoute une touche d'humour.*

Malgré tout, il faut considérer le revers de la médaille. Les célébrités qui endossent trop de marques — pensez, par exemple, à John Madden, l'ex-entraîneur des Raiders d'Oakland ou à Mike Ditka des Bears de Chicago — tendent à perdre de leur crédibilité et de leur impact vendeur [43]. Cette surexposition crée de la confusion dans l'esprit des consommateurs et finit par faire mal à l'ensemble des marques soutenues par le porte-parole.

Si vous devez partager votre star avec d'autres annonceurs, il faudra répéter votre message plus souvent et plus longtemps. Mise à part Michael Jordan qui a représenté jusqu'à 14 grandes compagnies (Coke, McDonald's, Nike et Gatorade, etc.) et Tiger Woods (Buick, American Express, Nike, Disney, etc.), les célébrités qui endossent trop de produits finissent par diluer l'impact du message.

La bataille livrée entre Coca-Cola et Pepsi-Cola à coup de vedettes de la chanson et du petit écran a généré des résultats négatifs. En bout de ligne, les gens ne savaient plus quelle star soutenait quel produit.

Parfois, une célébrité perd de son pouvoir vendeur sans avertissement. Pendant plusieurs années, Fabio, un grand musclé aux cheveux longs, était une star de l'industrie du roman sentimental. Sa seule image sur la première couverture d'un roman pouvait faire augmenter les ventes de 40 %. Mais lorsque Fabio décida de faire de la publicité pour de la margarine, les ventes ne décollèrent pas. L'étoile de Fabio avait pâli.

Ces derniers temps, les vedettes sportives ont souffert en publicité. Selon une recherche de Consumer Network, une majorité de répondants ont des ressentiments à l'égard des sportifs [44]. Plus de 74 % des gens n'aiment pas voir des vedettes du sport dans la publicité. Les sportifs seraient perçus comme égoïstes et mal élevés.

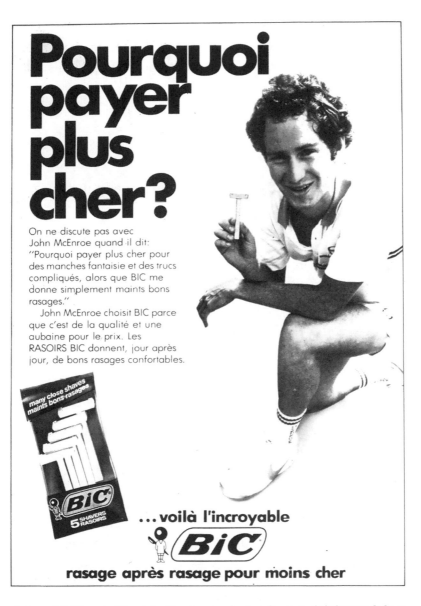

◆ *Les publicités qui utilisent des témoignages de stars donnent généralement de bons résultats. Mais il y a des exceptions. Lorsque les rasoirs Bic jetables ont signé un contrat avec John McEnroe, tous les espoirs étaient permis. McEnroe était un joueur de tennis étoile et son style cassant plaisait à la foule. Pourtant, la star n'a pas fait vendre de rasoirs. En essayant de comprendre cet échec, on a découvert que McEnroe avait la mauvaise habitude de ne pas se raser lorsqu'il participait à des tournois. Sa barbe de trois ou quatre jours minait totalement la crédibilité du produit.*

Évidemment, aucune vedette n'est à l'abri d'un scandale sportif, sexuel ou politique. Plusieurs stars ont été impliquées dans des incidents susceptibles d'entacher les produits pour lesquels ils étaient le porte-parole :

- Seven-Up avec Flip Wilson : arrêté pour trafic de cocaïne

- Mazda avec Ben Johnson : scandale des stéroïdes anabolisants aux Jeux olympiques de Séoul

- Gillette avec Vanessa Williams : scandale des photos de nus dans le magazine *Penthouse*

- Ace Hardware avec Suzanne Sommers : photos de nus dans *Playboy*

- Pepsi avec Mike Tyson : accusé d'agression sexuelle

- Seagram avec Bruce Willis : admis dans un centre de désintoxication

- L'industrie du bœuf avec Cybill Shepherd : dans une entrevue, elle raconta à un journaliste qu'elle n'aimait pas manger du bœuf

- Converse avec Magic Johnson : atteint du virus du sida

- Ivory Neige avec Marilyn Brigg : elle devint la star porno Marilyn Chambers

À cause de cela, de nombreuses firmes préfèrent mettre en scène des vedettes décédées ou des caractères fictifs comme Bugs Bunny ou Mickey Mouse. À l'instar des gens décédés, les héros de bandes dessinées sont généralement immunisés contre la publicité négative.

En de rares occasions, un scandale peut se révéler payant. L'incident qui coûta quelques mèches de cheveux à Michael Jackson permit à Pepsi de bénéficier de millions de dollars de publicité gratuite dans les médias partout dans le monde.

FLASH INFO

QUELQUES PORTE-PAROLE PUBLICITAIRES QUÉBÉCOIS

Myriam Bédard	Lassonde
Jean-Luc Brassard	McDonald's
Normand Brathwaite	Réno-Dépôt
Benoît Brière	Bell
Macha Grenon	Pharmaprix
Daniel Lemire	Listerine
Claude Meunier	Pepsi
Guy Mongrain	Iris
François Pérusse	Pétro-Canada

COMMENT LISONS-NOUS LES IMAGES ?

Des études sur la perception ont permis de dégager certains principes qui régissent la lecture des images. Les chercheurs savent, par exemple, que le regard explore la page, non pas dans un balayage continu, mais par une série de sauts séparés par des fixations qui ne relèvent pas du hasard. À cet égard, on remarque certaines particularités :

- Les yeux ont tendance à explorer, en particulier et successivement, quatre points qui sont les intersections des droites parallèles aux côtés et tracées à un tiers et aux deux tiers des longueurs et des largeurs[45].

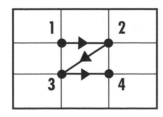

- Les yeux ont tendance à bouger dans le sens des aiguilles d'une montre.

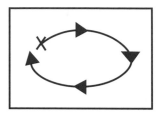

- Les yeux ont tendance à regarder davantage la moitié supérieure gauche d'une image.

- Les yeux ont tendance à regarder d'abord les êtres humains, puis les objets en mouvement comme les nuages et les automobiles et, enfin, les objets immobiles.

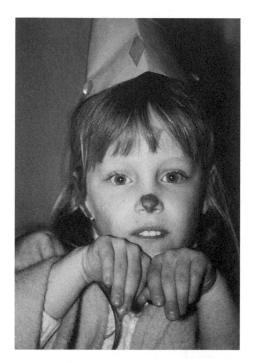

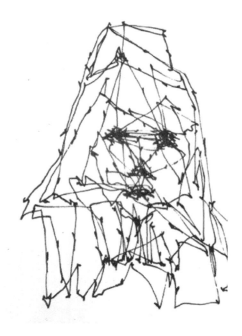

◆ *Des études sur la perception ont permis de dégager certains principes qui régissent la lecture des images. Par exemple, les chercheurs ont découvert que le regard explore la page non pas dans un balayage continu, mais par une série de sauts entrecoupés de périodes de fixation, comme le montre le schéma de droite. On sait aussi que les yeux s'attardent particulièrement sur le nez, la bouche et les yeux des personnages. (Collection: Claude Cossette.)*

Puisque nous avons pris l'habitude de parcourir toutes les formes de gauche à droite et de haut en bas, vous aurez intérêt à construire vos images en respectant ce schéma d'exploration oculaire.

Pour en savoir plus long sur les schémas d'exploration et sur les images, lisez *Les images démaquillées,* de Claude Cossette.

---

9 TRUCS POUR RÉUSSIR VOS PHOTOS

1. Montrez un seul produit à la fois.

2. Limitez votre photographie à six ou sept éléments graphiques.

3. Soyez simple.

4. Simplifiez l'arrière-plan.

5. Montrez un sujet principal.

6. Décentrez le sujet.

7. Visez sous des angles différents.

8. Prenez les petits objets de dessus et les gros objets de dessous [46].

9. Donnez un fini professionnel à vos photos.

Dans la mesure où les consommateurs ont pris l'habitude de regarder les images pour voir ce que vous leur offrez, je vous recommande fortement de mettre un visuel dans votre publicité.

Henri Joannis rappelle qu'il y a trois circonstances où l'image peut être reléguée au second plan :

- Lorsque vous voulez jouer la carte du super sérieux.

- Lorsque la morale sociale vous empêche d'illustrer le sujet de votre communication.

- Lorsque votre message a un tel caractère de nouveauté qu'une simple affirmation textuelle de votre part suffit à attirer l'attention.

Malgré tout, regardons la vérité en face : 9 fois sur 10, vous devez utiliser une image. Jay Chiat, l'un des publicitaires les plus importants du XXe siècle, affirme : « La réalité, c'est que plus les produits vieillissent, plus l'image doit prendre le pas sur l'information rationnelle [47]. »

Keith Reinhard, chef créatif chez DDB Needham ajoute : « Plus les besoins de communiquer se mondialisent, plus nous avons besoin de publicités qui reposent sur des images et des symboles. »

En réalité, l'image a un avantage énorme sur l'écrit : elle livre son message instantanément.

Chapitre 4

Comment écrire des titres percutants

En publicité, le titre est l'élément rédactionnel le plus important. Selon le père de la publicité moderne, Albert Lasker, « 90 % de l'efficacité d'une publicité repose sur le titre[1] ».

Quand vous faites de la publicité imprimée, la grande différence réside souvent dans les titres. Un titre attire 15 % de lecteurs, tandis qu'un autre en attire 25 %, 30 % ou même 50 %. Prenons les titres suivants :

1. Moitié prix

2. Achetez-en un, obtenez le deuxième gratuitement

3. 50 % de rabais

Dans les faits, chacune de ces propositions est identique. Pourtant, la proposition 2 génère systématiquement plus de résultats que les propositions 1 et 3.

Plusieurs facteurs modifient l'efficacité de votre titre : le nombre de mots, le nombre de lignes sur lequel il est imprimé, la taille des caractères et l'utilisation de jeux de mots.

Pour réussir, un bon titre doit attirer l'attention des clients potentiels, susciter l'intérêt, stimuler le désir et, ultimement, provoquer l'achat.

Écrire un titre efficace est une science. Pour paraphraser John Caples, un « titre peut souvent faire toute la différence entre un succès et un échec ».

Dans ce chapitre, nous allons voir huit sortes de titres plus efficaces que la moyenne. Par la suite, je vous donnerai la liste des mots qui font de petits miracles en publicité et je vous indiquerai s'il est préférable d'écrire des titres courts ou des titres longs.

◆ *Votre titre doit faire passer un message clair, net et précis. Cette publicité de Pirelli promet un pneu qui colle à la route. Le visuel évocateur vient renforcer la promesse faite dans le titre.*

FLASH MÉDIA

LE RÔLE DU TITRE...

La plupart des publicités contiennent un titre. Dans les quotidiens, les hebdomadaires et les magazines, il occupe souvent la partie supérieure de la publicité. En affichage, il accompagne l'image et lui donne un sens. En télévision et en radio, ce sont les premiers mots du commercial.

À LA TÉLÉVISION

Soyez percutant. Impliquez le téléspectateur dès le départ en présentant votre argument clé. À l'ère du zappage, vous avez quelques secondes pour faire bonne impression. Vous devez susciter rapidement et intensément l'intérêt du téléspectateur, sans quoi la partie est perdue d'avance.

À LA RADIO

La radio est un média intime et personnel. Elle donne la possibilité d'être proche des gens. La communication avec le public est instantanée et directe. «La radio est un média qui vous permet de parler aux gens, de leur raconter une histoire», affirme Valérie Letarte, conceptrice-rédactrice à l'agence de publicité Tam-Tam.

EN AFFICHAGE

Pour capter l'attention du piéton ou de l'automobiliste, concentrez-vous sur un seul thème et synthétisez. Si vous voulez capter l'attention des consommateurs, construisez des panneaux-réclames brefs et clairs. Épurez votre message et évacuez ce qui est inutile.

Idéalement, utilisez un mot et une image. Plus votre titre est court, plus vous augmentez vos chances d'être lu. Quand vous faites de l'affichage, il ne s'agit pas d'amorcer une argumentation longue et technique; il faut frapper vite et fort! L'automobiliste passe rapidement devant votre panneau. Il est distrait et tendu. Dans les faits, vous n'avez pas beaucoup de temps pour retenir son attention.

DANS LE MAGAZINE, LE QUOTIDIEN ET L'HEBDOMADAIRE

Quand vous faites de la publicité dans des quotidiens et des magazines, la grande différence réside dans les titres. Les titres qui vendent le plus de marchandises sont courts. Généralement, ils promettent un avantage aux consommateurs.

SUR INTERNET

Ciblez votre campagne publicitaire. Quelle clientèle visez-vous ? Quels sites fréquentent-ils ? « Comme avec les médias traditionnels, déclare Pierre Tremblay, directeur de Carat Interactif, une division de Carat Stratégem, il faut cibler les sites qui correspondent à notre produit, afin de toucher les bonnes personnes[2]. » Par exemple, organisez votre campagne en tenant compte de la journée et de l'heure d'exposition. Si vous voulez rejoindre les gens d'affaires, annoncez de 6 h à 9 h le matin. Pour toucher les enfants, réservez vos espaces entre 14 h et 18 h. C'est à ce moment que ces deux clientèles sont les plus susceptibles d'être présentes sur le Net.

Lors d'une campagne pour *Le Porc du Québec*, Carat a sélectionné des mots clés dans l'engin de recherche de la Toile du Québec (www.toile.qc.ca). Chaque fois qu'un internaute entre les mots porc, bœuf, poulet, viande, recette, santé et cuisine, il voyait apparaître le bandeau du Porc du Québec.

LES TITRES PLUS EFFICACES QUE LA MOYENNE

En publicité, huit genres de titres donnent des résultats supérieurs à la moyenne.

1. Les titres qui promettent aux consommateurs un avantage

Ces titres sont ceux qui font vendre le plus de marchandises. Les gens sont toujours intéressés à se procurer des produits dont la publicité promet la simplicité, un regain d'énergie, du succès en amour ou un statut social plus élevé.

« Le contenu du message doit être motivateur, insiste Claude Cossette. Cela signifie que chaque message doit toucher une corde sensible de l'âme humaine[3]. »

Les consommateurs n'achètent pas des automobiles ; ils achètent de la vitesse, de la sécurité ou un statut social. Les fabricants de cosmétiques ne vendent pas une crème à base d'eau et d'huile ; ils vendent de la beauté, de la séduction et de la jeunesse. Ne l'oubliez jamais.

Quand on lui demandait de définir la publicité, Samuel Johnson répondait : « Une promesse, une grande promesse. » Au fond, la publicité efficace repose sur un positionnement clair et une promesse implicite. Calvin Klein ne vend pas du parfum. Il vend du sexe.

Dans tous les cas, employez des arguments positifs[4]. Ne mettez jamais le lecteur dans son tort, ne l'inquiétez pas, ne le culpabilisez pas. Les publicitaires qui utilisent la peur font rarement des merveilles. Il est difficile de convaincre les gens de se brosser les dents en montrant des dents sales ou des dents cariées.

Les études Starch montrent que les publicités coiffées de titres positifs obtiennent des résultats supérieurs à ceux contenant des titres négatifs : 50 % contre 37 % pour les scores d'attention, et 16 % contre 4 % pour les scores de lecture[5].

À l'exception des publicités pour des médicaments, du détersif, de l'assurance ou des services financiers, il est toujours plus facile de vendre quelque chose en montrant le beau côté des choses plutôt que le mauvais. Les gens cherchent des avantages et non des punitions.

Il y a quelques années, Gillette a lancé un shampoing pour les gens aux cheveux gras. Le produit s'appelait Pour cheveux gras seulement. Sans surprise, le shampoing disparut rapidement des étagères. Les gens refusaient d'acheter un produit leur rappelant qu'ils avaient les cheveux graisseux. Gillette tira rapidement une leçon de cet échec. Quelque temps plus tard, la firme lança un rasoir jetable appelé Good News.

Encore aujourd'hui, certaines campagnes comprennent un grand nombre d'avantages, souvent plus de trois. C'est une erreur. En offrant une trop grande quantité d'avantages, vous créez la confusion dans l'esprit du lecteur. De façon générale, les campagnes publicitaires qui obtiennent les taux de mémorisation les plus élevés sont celles qui concentrent toute leur énergie sur un seul avantage précis.

Ce n'est pas toujours facile d'identifier l'argument le plus susceptible de persuader les consommateurs. Prenons les couches. Initialement,
les couches jetables Pampers mettaient l'accent sur leur côté pratique.
L'argument était intéressant, mais il reçut un accueil mitigé. Par la suite,
Pampers corrigea le tir et affirma que ses couches gardaient bébé au sec
et joyeux. Les ventes explosèrent.

Vous augmentez vos chances de réussite si vous faites une
promesse qui est unique. Rosser Reeves, de l'agence Ted Bates, maintient que pour être efficace, une campagne publicitaire doit s'exprimer
par une *Unique Selling Proposition*, ou USP.

Selon Reeves : «Chaque publicité doit faire une proposition au
consommateur. Elle ne doit pas consister en mots vains, en simple étalage de produits pompeusement parés, mais dire en substance à chaque
lecteur : achetez ce produit, vous en tirerez tel avantage spécifique.
Cette proposition doit être exclusive, la concurrence n'y ayant pas
pensé ou n'étant pas en mesure de le faire. Elle peut être exclusive en
raison d'une de ses qualités ou d'un argument que personne d'autre
n'emploie dans la même spécialité. La proposition doit être assez forte,
assez attrayante pour remuer les masses, provoquer les lecteurs à la consommation et conclure la vente[6]. »

Dans tous les cas, restez crédible et n'exagérez pas. Si la satisfaction
retirée de l'utilisation d'un produit est moindre que celle attendue, le consommateur risque de ne pas acheter votre produit une seconde fois[7].

Lors de son lancement en 1992, Prodigy utilisa une publicité
agressive et un argument percutant pour attirer la clientèle : «Un meilleur produit que la compétition.» La campagne attira rapidement
860 000 branchements. Mais il y avait un problème : la meilleure technologie était offerte par America Online qui comptait seulement
181 000 clients. Quatre ans plus tard, le vent avait tourné. Prodigy se
battait pour sa survie, tandis qu'America Online comptait huit millions
de clients.

FLASH INFO

LES PROMESSES QUI VENDENT

La beauté, la minceur, le charme, le sex-appeal, la séduction

La jeunesse, l'amour, la passion, la sensualité, le charme

La santé, la longévité, la force, la virilité, l'agressivité

Le soulagement d'une douleur physique ou morale

La discrétion, la sympathie, l'intimité

La propreté, la pureté, la fraîcheur, le naturel

Un bon rapport qualité-prix, une économie

La sécurité, l'épargne, la protection

Le modernisme, le progrès, le renouveau

Le bonheur, la joie, un divertissement, le merveilleux

Une valeur nutritive, un bon goût

La confiance en soi, l'assurance, la satisfaction

La commodité, le bien-être, un sentiment d'appartenance

La gaieté, la popularité, le plaisir, l'admiration

La vitalité, l'enthousiasme, l'énergie, la vigueur

L'aventure, l'évasion, la liberté, l'inattendu, l'interdit

Le rêve, l'imagination, la magie, la curiosité

Le repos, la détente, la créativité

La chaleur, l'intimité, l'amitié, la stabilité, la fiabilité

Le conformisme, l'anticonformisme, le patriotisme, la tradition

Le confort, la légèreté, la délicatesse, la douceur

La distinction, le raffinement, la classe

La perfection, l'excellence, une garantie, une meilleure qualité

La quantité, le choix, la facilité, la simplicité, la solidité, la rapidité

L'indispensable, l'inédit, l'exclusivité, la rareté

L'expérience, la compétence, la connaissance, le professionnalisme

L'original, le premier, l'authentique, le vrai

La marque, le produit, le sigle

La performance, l'efficacité, le savoir-faire

Le succès, l'estime, la prospérité, la réussite, la supériorité

Le pouvoir, l'autorité, la domination, l'influence, la puissance

Le prestige, le style, l'élégance, le luxe, la richesse, un statut social

2. Les titres qui offrent des conseils pratiques

Ils obtiennent toujours d'excellents résultats. Les gens sont fascinés par les titres qui leur apprennent comment faire les choses.

- Comment devenir riche

- Comment se faire des amis

- Comment tomber en amour

- Comment réussir dans la vie

- Comment perdre du poids

Lorsqu'ils ont le choix entre plusieurs types de communication, les gens préfèrent s'exposer à des messages contenant des renseignements utiles[8].

Le légendaire David Ogilvy révèle que les publicités offrant des conseils pratiques sont lues en moyenne par 75 % plus de personnes que les publicités qui n'en contiennent pas[9].

Au Québec, la publicité de Rona mise sur les solutions pratiques. Pour ce faire, Rona donne des conseils aux bricoleurs. Visuellement, on met l'accent sur les résultats finaux des travaux de menuiserie. Le quincaillier montre aux consommateurs comment rénover efficacement leur maison.

3. Les titres qui annoncent une nouveauté

Ils sont extrêmement efficaces. Tout ce qui sort de l'ordinaire attire l'attention du consommateur et est susceptible d'éveiller son intérêt.

Le nouveau est valorisant. Il engendre un effet instantané de séduction. D'après Alain Rideau, la fascination pour tout ce qui est nouveau est basée sur l'idée confuse — mais bien enracinée — selon laquelle tout ce qui est nouveau est supérieur aux choses anciennes [10].

Selon Daniel Berlyne, un chercheur spécialisé dans l'étude des comportements, les êtres humains préfèrent les stimuli nouveaux aux stimuli familiers [11]. Dans l'industrie des shampoings, 90 % des consommateurs vont essayer un nouveau shampoing chaque année [12]. La durée de vie moyenne d'un parfum est de 18 mois.

Pour améliorer les ventes, trouvez de nouvelles applications au produit. En l'espace d'une dizaine d'années, les ventes de bicarbonate de soude Arm & Hammer passèrent de 15,6 millions de dollars à 150 millions de dollars [13]. Pour ce faire, une campagne publicitaire suggéra au public d'utiliser le bicarbonate de soude dans le réfrigérateur. Le nombre de ménages utilisant le produit passa de 1 % en février 1972 à 57 % en mars 1973, puis, plus tard, à 90 %. Par la suite, d'autres campagnes suggérèrent d'utiliser le produit comme dentifrice, dans la litière du chat et comme déodorant pour le chien.

À l'origine, les papiers-mouchoirs Kleenex étaient utilisés pour enlever le maquillage sur le visage. Quand les propriétaires découvrirent que les gens préféraient les utiliser pour se moucher le nez, on décida de réorienter la publicité. Kleenex devient ainsi la marque numéro un de papier-mouchoir.

Quand vous voulez augmenter les ventes d'un produit qui existe déjà, travaillez sur une *reformulation*. À lui seul, le détersif Tide a subi 55 améliorations depuis son lancement. Procter & Gamble n'hésite pas à laver jusqu'à 30 000 paires de bas pour tester son détersif.

Chaque année, les entreprises nord-américaines conçoivent plus de 10 000 nouveaux produits. Selon le Marketing Intelligence Service, 77 % des nouveaux produits arrivés sur les tablettes des super-marchés et des pharmacies en 1995 étaient de nouvelles formulations, formats ou emballages de produits déjà existants[14].

Lancer un nouveau savon sur le marché coûte en moyenne 100 millions de dollars. Sur 100 produits mis sur le marché, 90 % ne sur-vivent pas. Dans la restauration rapide, 1 produit sur 100 est un succès. Dans le secteur pharmaceutique, le ratio est de 1 pour 1 000. Quelques échecs récents : la pizza *light* de Pizza Hut, le Pepsi Crystal, le parfum Bic, le nouveau Coca-Cola, la cigarette sans fumée Premier, le café surcaféiné Buzz et les céréales hyper sucrées Kaboom.

Selon Kevin Clancy et Robert Shulman, les nouveaux produits échouent pour quatre raisons principales[15]. Premièrement, la stratégie de positionnement est faible (3 échecs sur 10). Deuxièmement, le produit n'est pas à la hauteur (3 échecs sur 10). Troisièmement, la publicité est mal conçue (20 % des échecs). Enfin, la promotion est mal ficelée ou la distri-bution est inadéquate (10 % chacun).

FLASH INFO

15 FAÇONS D'ANNONCER DU NOUVEAU

Nouvelle information

Nouvelle idée

Nouvelle formule

Nouvel emballage

Nouveau contenant

Nouveau prix

Nouveau format

Nouvelle couleur

Nouveau produit

Nouvel ingrédient

Nouvelle saveur

Nouvelle odeur

Nouvelle technologie

Nouvelle façon d'utiliser un produit existant

Nouvelle amélioration apportée à un produit ancien

4. Les titres qui interpellent directement le client potentiel

Ces titres obtiennent des taux de réussite supérieurs à la moyenne. Claude Hopkins, l'un des meilleurs rédacteurs de l'histoire de la publicité, écrivait : « Un titre a pour objet de saluer les gens que vous désirez toucher. C'est comme un chasseur qui, dans un hôtel, cherche un certain monsieur Jones, parce qu'il a un message pour lui [16]. »

Dans la jungle publicitaire d'aujourd'hui, il faut harponner la clientèle. Selon Stan Rapp et Thomas Collins, de l'agence Rapp Collins : « Ne pas désigner clairement les personnes que la publicité cherche à atteindre et ne pas éveiller l'attention des clients potentiels de premier ordre au moment même où ils tournent la page de leur journal sont les erreurs les plus graves de la publicité dans la presse écrite ; ce sont également celles qui entraînent le plus de gaspillage [17]. »

Bernard Berelson et Gary Steiner ont montré que les messages qui s'adressent à un groupe particulier sont plus efficaces que ceux qui visent le grand public.

Pour sélectionner votre clientèle, identifiez directement le client potentiel ou communiquez un intérêt commun au segment de marché visé. Par exemple, pour attirer les hommes qui souffrent de perte de cheveux, mettez les mots « perte de cheveux » dans votre titre.

◆ *Il est fortement recommandé d'identifier votre client potentiel dans votre titre. Les auteurs Berelson et Steiner ont montré que les messages dirigés vers des groupes précis sont plus efficaces que ceux qui visent un grand public.*

Keith Kimball, vice-président de BBDO USA, l'affirme : une bonne publicité, c'est une promesse crédible destinée à un public ciblé. C'est pourquoi il est nécessaire de toujours construire vos messages en fonction d'un segment de marché pointu.

En 2003, les responsables de la publicité de GM ont mis sur pied une campagne de publicité audacieuse qui ciblait les 40 % de gens qui n'ont pas l'intention d'acheter une GM. Les publicités mettaient l'accent sur les améliorations apportées par GM depuis les quatre dernières années

5. Les titres qui reposent sur un témoignage

Ces titres génèrent souvent des résultats au-dessus de la moyenne. Si vous utilisez un témoignage dans votre titre, n'oubliez pas de le mettre entre guillemets. En outre, employez des mots de tous les jours. Depuis la diffusion de la publicité télévisée de Wal-Mart, « la petite madame est contente », les ventes de ce géant du commerce au détail augmentent sans cesse au Québec.

DES FORMULATIONS QUI MARCHENT

AU LIEU D'ÉCRIRE	ÉCRIVEZ
Les piles qui durent plus longtemps	Les piles qui durent 30 % plus longtemps
Le riz à grain long prêt en quelques minutes	Le riz à grain long prêt en 5 minutes.
Ajoutez quelques cuillerées	Ajoutez 3 cuillerées à thé
Très léger	Pèse seulement 3 kg
Illustré	Contient 42 illustrations
Elle fait plusieurs kilomètres au litre	Elle fait 32 kilomètres au litre
Économisez gros	Économisez 100 $
Contient plusieurs noisettes	Contient 64 noisettes

---

6. Les titres qui annoncent un rabais

Ils frappent toujours dans le mille. Les consommateurs sont souvent à la recherche d'une façon d'économiser des dollars. En marketing, le prix est presque toujours l'élément clé.

Quand vous offrez des rabais, utilisez des chiffres précis : citez des quantités, des pourcentages, des distances, des durées, des dollars économisés, des nombres ou des dates précises. Ce faisant, vous serez plus crédible et plus percutant.

Selon William Strunk et E. B. White, « la façon la plus sûre d'attirer et de retenir l'attention est d'être spécifique, défini, et concret [18] ».

Lors d'une étude pour une marque de bière importée, les chercheurs ont remarqué que les arguments comme « Bavaria, la marque la plus vendue depuis 10 ans », « a remporté 5 tests de goût sur 5 » et « est vendue au bas prix de 1,79 $ pour 6 bouteilles de 12 onces » suscitent 2 fois plus d'attitudes favorables que des abstractions telles « la meilleure bière », « bon goût » et « prix abordable [19] ».

◆ *Les titres qui contiennent des chiffres précis donnent toujours des résultats supérieurs à la moyenne.*

7. Les titres qui piquent la curiosité

Les tests, questions posées aux lecteurs, phrases laissées en suspens, etc. marchent généralement très bien.

Cependant, il y a un danger. Lorsque vous utilisez des titres interrogatifs pour faire mordre le lecteur à l'hameçon, vous risquez gros. En effet, attirer l'attention ne suffit pas. Il faut aussi communiquer un concept, préparer le lecteur à une promesse, à un conseil pratique ou à une nouveauté. Il faut déclencher chez lui un processus de réceptivité. Votre public doit absolument faire le lien entre votre titre et votre texte. Sinon, votre publicité échouera.

8. Les titres qui reprennent des expressions populaires

Voilà encore des moyens de faire sonner la caisse. Peu de temps après avoir obtenu le contrat de publicité de la bière Labatt, Jacques Bouchard et deux de ses collaborateurs se rendent dans une taverne. À la table voisine, un client solitaire pointe le barman en levant le pouce et s'écrie: « Lui, y connaît ça! » Ces quatre petits mots allaient contribuer, en quelque temps, à tripler les ventes de la Labatt 50 au Canada.

En général, laissez de côté les jeux de mots gratuits et les titres à double sens. Pierre Martineau, du *Chicago Tribune,* écrit: « Élevé au régime du cinéma, des pages sportives et des revues à potins, l'individu moyen n'est pas armé pour être profondément ému par les textes des rédacteurs professionnels. Il n'est sensible qu'aux choses simples et directes [20]. »

Quand on lui demande le secret de son succès, Monsieur Bestseller, James Clavell, répond « que l'action prime sur le plaisir de jongler avec les mots ». C'est la même chose en publicité.

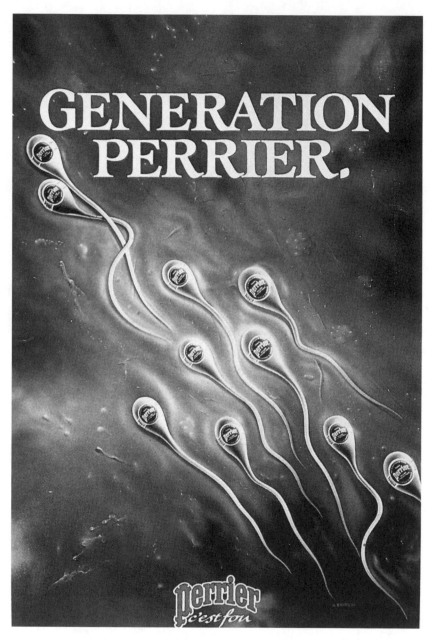

◆ *Les publicités qui identifient l'annonceur dans le titre génèrent des résultats supérieurs.*

LES MOTS MAGIQUES

En publicité, il faut accorder beaucoup d'attention à ce que vous dites, mais aussi à la façon dont vous le dites. Certains mots sont particulièrement persuasifs pour vendre vos produits. Ce sont :

1. Les mots qui éveillent la curiosité

Énigme, miracle, magique, mystère, prodige, secret, vérité, histoire vécue, confidence, confession, ensorcelant.

2. Les mots qui ont une connotation sexuelle

Nuit, amour, cœur, désir, sexe, chéri, fleur, baiser, rêve, séduction.

3. Les mots qui frappent l'instinct de conservation

Rajeunir, vie, mort, peur, guerre, aventure, crime, progrès, liberté, jeunesse, beauté, sécurité.

4. Les mots qui correspondent à des moments forts de la vie

Bébé, enfant, fiancé, fiançailles, femme, épouse, mari, mariage, famille, père, mère, ami, gens.

5. Les mots qui correspondent à un idéal

Bonheur, chance, inédit, spécial, exceptionnel, spectaculaire, découverte, invention, unique, exclusif, espoir, heureux, confortable, fier, amusant, facile.

6. Les mots qui flattent l'instinct de domination

Argent, or, dollars, million, millionnaire, riche, fortune, succès, célébrité, puissance, réussir, gloire, victoire, honneur, triomphe.

◆ *Les titres qui utilisent des jeux de mots peuvent être terriblement efficaces.*

7. Les mots qui suggèrent des conseils pratiques

Pourquoi, comment, voici, quel est (quels sont), levier, fondement, étape, innovation, facteur, leçon, idée, raison, méthode, qualité, clé, objectif, stratégie, avantage, question, façon, solution, truc, tuyau, tactique, conseil, manière, règle, recette, principe, moyen, technique, exemple.

8. Les mots qui évoquent la nouveauté

Nouveau, maintenant, découvrez, dès aujourd'hui, en primeur, dernière heure, attention, important, urgent, ouverture, progrès, amélioration, bientôt, pour la rentrée.

9. Les mots qui suggèrent des réductions ou des offres spéciales

Gratuit, prime, moitié prix, 20 % de rabais, solde de fin de saison, concours, vente, liquidation, épargnez, économisez, aubaines, réduction, prime, prix spécial, gagnez, garantie.

10. Les mots qui incitent le consommateur à agir *maintenant*

Pour un temps limité, dernière chance, quantité limitée, jusqu'à épuisement des stocks, tant qu'il y en aura, dernière semaine, samedi seulement, pour trois jours, quatre jours seulement, jusqu'à demain, prix en vigueur jusqu'à, deux derniers jours, pour la dernière fois à ce prix, l'offre prend fin le...

En 1979, au département de psychologie de l'université Yale, on a identifié 12 mots plus persuasifs que la moyenne. Ce sont : découverte, amour, résultat, gratuit, argent, sécurité, garantie, nouveau, économisez, santé, éprouvé et vous.

Au Québec, les mots les plus fréquents dans les slogans publicitaires sont, par ordre décroissant : votre, vous, vos, monde, plus, tout, goût, affaires, qualité et meilleur[21]. Par ailleurs, le slogan moyen compte 5,2 mots.

Les mots magiques sont *puissants*. On leur attribue des répercussions supérieures à la moyenne depuis des décennies. Utilisez-les pour augmenter l'efficacité de votre publicité. Ils donneront aux gens le goût de vous lire.

Réciproquement, certains mots sont à éviter à tout prix. Ces mots font fuir la clientèle. Ce sont les mots suivants : acheter, obligation, échec, mauvais, perte, difficile, décision, mort, tracas, contrat.

Depuis quelque temps, le mot « ultra » est devenu l'adjectif favori des publicitaires. Procter & Gamble a montré son efficacité avec l'Ultra Tide et l'Ultra Pampers. Par ailleurs, l'adjectif « extra fort », autrefois limité au secteur des analgésiques, fait sa marque dans le marché des nettoyants, des insecticides et des condoms.

Très souvent, un mot peut faire la différence entre un succès ou un échec. En 1967, Gablinger's introduisit la première bière à basse teneur en calories. Le rédacteur responsable du budget présenta la bière Gablinger's comme une bière *diète*. La campagne fut un échec. Les buveurs de bière n'arrivaient pas à se convaincre qu'une bière diète puisse être bonne au goût. Cinq ans plus tard, Miller lança lui aussi une bière à basse teneur en calories. Pour mousser ses ventes, on la présenta comme étant la première bière *légère*. Le succès fut instantané.

La publicité est donc une bataille de mots et d'images. Voilà pourquoi des entreprises n'hésitent pas à poursuivre des concurrents pour avoir l'exclusivité d'un mot ou d'un groupe de mots. America Online revendique le droit exclusif d'utiliser l'expression *« You've got mail »*. Elle a poursuivi AT&T dont le slogan était *« You have mail »*.

UN TITRE COURT OU UN TITRE LONG ?

La plupart du temps, écrivez des titres d'une longueur maximale de sept mots. Plus votre titre est court :

- *Plus vous augmentez vos chances d'être lu.* Harold Rudolph, qui a été directeur de la recherche chez J. Stirling Getchell, indique que les titres de sept mots et moins obtiennent des taux de lecture plus élevés que les titres longs [22].

- *Plus vous augmentez vos chances que le consommateur se souvienne de votre annonce.* Le psychologue George A. Miller de l'université Harvard a constaté que la mémoire ne peut traiter plus de sept éléments à la fois [23]. C'est ce qui explique pourquoi les listes les plus populaires comptent sept chiffres : sept jours de la semaine, sept chiffres dans un numéro de téléphone, sept merveilles du monde, Blanche-Neige et les sept nains, sept péchés capitaux, etc.

Les publicitaires savent que les titres courts sont plus efficaces que les titres longs. Une recherche indique que la moyenne de mots par titre s'établit à 5,32 chez les Français et à 6,62 chez les Américains [24].

Attention, toutefois : ce n'est pas une bonne idée de raccourcir votre titre pour le simple plaisir d'avoir un titre court. John Caples, le célèbre rédacteur publicitaire américain, écrit : « La brièveté, dans un titre, peut constituer une excellente qualité, mais pas au point où tout le reste doit être sacrifié pour elle. Il est plus important de dire ce que vous avez à dire, d'exprimer votre idée complètement, même si cela doit vous coûter 20 mots pour le dire [25]. »

Gallup & Robinson ont montré que « l'efficacité publicitaire dépendait davantage de l'idée véhiculée que de la mécanique de l'exécution, davantage du fond que de la forme [26] ».

Si votre titre contient plus d'une dizaine de mots, vos chances de réussite seront plus grandes si vous utilisez un surtitre ou un sous-titre. Cela est surtout vrai en marketing direct et lorsque vous faites de la publicité pour le commerce de détail.

Chaque fois que cela est possible, essayez de mettre dans votre titre le nom de la marque que vous annoncez. En publicité industrielle, une étude réalisée par McGraw-Hill indique que les publicités contenant des titres qui identifient l'annonceur sont lues en moyenne par 20 % plus de gens que les publicités qui contiennent des titres qui ne l'identifient pas [27].

● ── **FLASH** INFO ── ●

COMMENT ÉCRIRE UN TITRE COURT

Quand vous désirez écrire des titres courts, utilisez l'impératif et la deuxième personne du pluriel.

En publicité, l'impératif est le mode de la suggestion, du conseil et de la recommandation. Feuilletez quelques journaux et quelques magazines. Vous constaterez très vite que les rédacteurs publicitaires s'en remettent toujours à un certain nombre de verbes à l'impératif. En voici quelques-uns : abonnez-vous, économisez, osez, participez, écrivez, améliorez, appelez, envoyez, apprenez, épargnez, augmentez, essayez, bénéficiez, buvez, regardez, gagnez, cochez, indiquez, commandez, savourez, jouez, téléphonez, lisez, découvrez, utilisez, devenez, votez et obtenez.

EN RÉSUMÉ

Au nom d'un pseudo-modernisme, certains rédacteurs écrivent des publicités sans titre du tout. Ils oublient que dans un journal moyen, le lecteur est inondé de publicités.

Pour choisir ses lectures, le consommateur s'en remet à vos titres. Si vous ne mettez pas de titre dans votre publicité, il ne fait aucun doute que vous passerez inaperçu. Le Bureau de la publicité déclare : « Le titre est l'élément le plus déterminant en publicité imprimée. » La maison Perception Research Services dit : « Nos recherches montrent que le taux de lecture d'un titre excède souvent de six à sept fois celui du texte qui l'accompagne [28]. »

◆ *Pour écrire des titres courts, utilisez l'impératif. En publicité, l'impératif est le mode de la suggestion et de la recommandation.*

Chapitre 5

Comment écrire des textes qui vendent

Mettons tout d'abord les choses au clair. Quelques-uns d'entre vous se sont peut-être déjà fait dire que les consommateurs ne lisaient pas les textes publicitaires. Ce n'est pas tout à fait exact. En réalité, les publicités dans les magazines obtiennent des taux de lecture de 10 % en moyenne [1].

Vous pourriez penser que les 10 % de lecteurs ne valent pas la peine qu'on s'y arrête, mais vous vous trompez. La plupart du temps, ce petit groupe de lecteurs contient un certain nombre de clients potentiels, des gens qui veulent en savoir plus long sur votre genre de produit avant de prendre une décision finale. Votre texte devra donc les persuader d'acheter votre produit plutôt que ceux de vos concurrents.

Il y a plusieurs années, Albert Lasker, le père de la publicité moderne, affirmait : « Si les gens ne lisent pas votre publicité, ils ne pourront pas s'en souvenir. Et s'ils ne s'en souviennent pas, ils ne pourront pas acheter votre produit. » C'est encore vrai aujourd'hui.

FLASH MÉDIA

LE RÔLE DU TEXTE...

À LA TÉLÉVISION

En télévision, plus que dans n'importe quel autre média, le visuel est l'élément clé du message. Évidemment, le texte est quelquefois indispensable à la compréhension de votre publicité, mais il joue en général un rôle de soutien à votre argumentation.

À LA RADIO

Avec le temps, la radio est un média qu'on a appris à écouter en faisant autre chose. Puisque les consommateurs ne peuvent pas voir votre produit et votre logo, assurez-vous qu'ils puissent se souvenir de vous. Mentionnez le nom de votre produit dans les premiers instants et répétez-le souvent — au moins trois fois.

EN AFFICHAGE

Si vous voulez capter l'attention des consommateurs, construisez des panneaux-réclames brefs et clairs. Épurez votre message et évacuez ce qui est inutile. Assurez-vous qu'il y ait une bonne interaction entre l'image et les mots.

DANS L'IMPRIMÉ ET SUR INTERNET

Plus votre texte sera court, plus les gens le liront. Par rapport à un indice général de 100, les études Starch montrent que les annonces de 25 mots et moins obtiennent un taux de lecture moyen de 284, alors que celles de plus de 500 mots réalisent un score de lecture moyen de 86 [2]. À partir de 50 mots, le taux de lecture d'une publicité diminue dramatiquement.

COMMENT ÉCRIRE DES TEXTES EFFICACES

Rédiger un bon texte publicitaire demande du temps. D'abord, parce qu'écrire est un art difficile. Ensuite, parce que la rédaction publicitaire repose sur des règles simples mais contraignantes.

Entre les mains d'un publicitaire, les mots servent à motiver et à persuader les consommateurs. En règle générale, moins vous en direz, plus les récepteurs pourront vous mémoriser facilement.

Si vous voulez écrire des textes efficaces, il sera nécessaire de respecter 20 principes.

1. Soyez direct

Allez droit au but. Éliminez tous les mots qui ne sont pas nécessaires. Plus vous vous lancerez dans de longs développements, plus vous découragerez le lecteur.

La plupart des commerciaux télé et radio durent 30 secondes. La majorité des publicités imprimées privilégient l'image aux dépens des mots. Cela vous donne peu de temps pour vous étendre en long et en large.

Rappelez-vous l'avertissement de Kenneth Roman et de Joel Raphaelson : «Votre lecteur n'a pas de temps à perdre. Si vous voulez retenir l'attention des gens occupés, votre écrit doit aller directement au cœur du problème. Il doit exiger un minimum de temps et d'effort de la part du lecteur [3]. »

2. Présentez l'argument majeur au début de votre message

Faites en sorte que votre premier paragraphe soit percutant. Proposez un avantage.

Tous les rédacteurs publicitaires de renom — Bly, Caples, Hauser, Hodgson, Lewis, Ogilvy, Sackheim, Schwab, Stone, Xardel — recommandent de créer dès le départ ce qu'on pourrait appeler *l'effet de surprise*. Vous devez susciter rapidement et intensément l'intérêt du lecteur sans quoi la partie est perdue d'avance.

Une fois que vous avez rédigé votre premier paragraphe, développez votre avantage principal. Racontez aux lecteurs ce qu'ils doivent savoir sur votre produit et répétez-vous souvent.

Pour en savoir davantage sur la façon d'écrire le premier paragraphe, lisez le chapitre « How to Write the First Paragraph », dans le livre *Tested Advertising Methods,* et le chapitre « Ten Ways to Write the First Paragraph », dans le livre *Making Ads Pay,* tous deux du rédacteur publicitaire John Caples.

3. Soyez simple

Tous ceux qui écrivent des textes publicitaires doivent faire face au même problème : être compris de tous.

Il est impossible d'être compris par le commun des mortels si vous n'écrivez pas dans un langage élémentaire. Alfred Politz, directeur de Alfred Politz Research Inc. et spécialiste des études de marché, souligne que « l'efficacité en publicité dépend de l'utilisation d'un langage simple, d'une présentation simple et directe des arguments de vente[4] ».

Al Ries et Jack Trout, de l'agence Trout & Ries, vont plus loin : « Aujourd'hui, pour beaucoup de gens, un moyen de réussir consiste à observer ce que font les concurrents et ensuite à supprimer la poésie ou l'imagination qui sont devenues un obstacle pour transmettre correctement le message à l'esprit. Avec un message purifié et simplifié, vous pouvez alors pénétrer l'esprit du client potentiel[5]. »

Là débute la difficulté : si vous employez un style trop élémentaire, vous risquez de choquer votre public. Si vous employez un style trop original, vous mettez votre lecteur sur la défensive et éveillez le doute dans son esprit. Conclusion : soyez simple, mais ne prenez pas le lecteur pour un idiot.

4. Parlez directement aux gens

Certains rédacteurs publicitaires ont tendance à s'adresser aux consommateurs comme s'ils écrivaient à une masse inanimée. Ce n'est pas une bonne chose. Ce qu'il faut faire, c'est considérer le lecteur, lui parler et l'écouter. Vous devez traiter votre lecteur comme vous traitez les gens dans vos relations de tous les jours.

Voici quatre façons de personnaliser vos écrits :

- Adressez-vous directement à votre lecteur en le *vouvoyant* ou parfois même en le *tutoyant*. Au lieu de dire : « Grâce au nouveau système Warner, on épargne 10 % sur sa facture de chauffage », dites : « Grâce au nouveau système Warner, *vous* pouvez épargner 10 % sur *votre* facture de chauffage. »

  Remarquez comment l'auteur de ce texte a habilement personnalisé son discours :

  « *Voulez-vous* « gratter » et économiser 10, 15, 25, 50 ou 100 % ? »

  « À compter du 30 janvier 1989, *vous* pourriez économiser 10, 15, 25, 50 ou 100 % sur presque tous *vos* achats effectués dans *votre* magasin. »

« Vous savez que notre marchandise déjà offerte à prix modique vous permet de gratter vos dépenses, voici donc une occasion de plus à ne pas manquer, puisque vous ne partirez pas sans avoir économisé au moins 10 %, garanti ! »

« Alors qu'attentez-vous ? Vous avez tout à gagner ! Votre carte « grattez et économisez » vous sera remise à domicile ou peut être disponible dans votre magasin. »

• Utilisez des phrases *personnelles*. Sont définies comme phrases personnelles les phrases écrites sur les modes de la conversation, les questions ou demandes adressées dans un style direct au lecteur, les exclamations, les phrases impératives et les phrases entamées mais laissées en suspens comme le bavardage.

• Racontez une *histoire* autour de l'utilisation de votre produit. Au lieu d'écrire un texte démonstratif (*reason why*), écrivez un texte de type engagement personnel (*human interest*). Voici un exemple :

« Le jour de mon dernier anniversaire, j'ai réalisé que j'étais au beau milieu des plus belles années de ma vie. Le plus bel âge, quoi... à condition de prendre bien soin de soi. »

« J'ai donc commencé à faire de la bicyclette chaque jour. Puis j'ai essayé 2nd Début. »

« Seul 2nd Début contient du CEF qui redonne à la peau son taux d'humidité naturelle. Et ça, ça me plaît ! Non seulement le CEF hydrate ma peau, mais il maintient cette hydratation. J'aime l'effet de 2nd Début sur ma peau. Ça me rajeunit, je crois et, croyez-moi, je me sens en beauté. »

- Incluez dans votre texte des *noms* de personnalités plus ou moins célèbres, des prénoms, des *pronoms* personnels à la première et à la deuxième personne du singulier et du pluriel, des mots personnels tels que « gens » ou « maman ».

Au lieu de dire : « J'ai manqué mon autobus » ou « Peux-tu venir me chercher ? », dites : « Allô, Claude ! Peux-tu venir me chercher ? »

La recherche publicitaire indique que les textes personnalisés sont extrêmement efficaces. Dans une recherche comportant 50 publicités qui avaient obtenu des taux de lecture exceptionnels et 50 publicités qui avaient été des échecs lamentables, Daniel Starch constata que les annonces à succès faisaient toujours une place importante aux humains [6].

D'après le Dr Rudolf Flesch, plus un texte est personnalisé, *humain,* plus il a de chance d'intéresser un grand nombre de lecteurs [7]. S'il est quelque chose qui intéresse tout le monde, ce sont les êtres humains. *Le public s'intéresse davantage aux hommes et aux femmes qu'aux choses et aux idées.*

5. Utilisez le présent

Dans vos textes, le présent permet d'exprimer l'idée : voilà ce qui se fait, voilà ce que vous devez faire. Il peut aussi servir à exprimer un fait futur dont la réalisation est tenue pour certaine.

D'autres temps de verbes peuvent aussi être pris en considération. Le futur exprime un engagement de la part du vendeur à satisfaire le client. Utilisez-le souvent puisque toute bonne publicité comporte, comme nous l'avons vu précédemment, une promesse. Le participe présent est très utile, car il vous permet d'éviter une proposition rela-tive qui compliquerait davantage vos phrases et poserait des difficultés d'emploi des modes.

Évitez l'infinitif. C'est le mode le plus impersonnel qui soit. Des formules telles que « L'essayer, c'est l'adopter » ne font plaisir qu'à l'orgueil de l'annonceur. Néanmoins, l'infinitif peut vous être utile pour les recettes, les modes d'emploi, les démonstrations, les locutions telles que « À offrir » ou « À boire glacé », et pour les indications générales du genre « Pour tous renseignements, écrire ou téléphoner à... », « Joindre un timbre-poste pour la réponse ».

6. Jouez à la fois sur la raison et sur l'émotivité

Votre publicité doit énoncer un *bénéfice produit,* comme « Notre produit rend vos dents plus blanches », mais également un *bénéfice émotionnel,* comme « Brossez-vous les dents avec notre dentifrice et vous attirerez les femmes ».

Les publicités imprimées qui reposent sur le raisonnement peu-vent être efficaces. Mais le spécialiste du changement d'attitude William McGuire a constaté que les messages strictement rationnels sont diffi-cilement accessibles au lecteur moyen [8].

Jacques Bouchard disait plus simplement : « La persuasion publi-citaire est un fusil à deux canons : un argument émotionnel pour assurer la vente et un argument rationnel pour asseoir l'achat. » Je ne peux pas dire mieux.

7. Faites des paragraphes aussi courts que possible

Les études de lisibilité entreprises par Gallup et Flesch sont formelles : plus vos paragraphes sont longs, moins les gens les liront.

8. Utilisez des mots courts et des mots courants

Les recherches montrent que les mots courts sont toujours préférables aux mots longs. Par ailleurs, les mots courants sont toujours meilleurs que les mots rares.

En réalité, ces deux règles ne sont que les deux facettes d'une même règle plus générale. Dans son livre *La psychobiologie du langage,* l'Américain George Kingsley Zipf a démontré que les mots les plus fréquents sont également les plus courts. Les uns et les autres sont en fait les mêmes mots : des mots *simples*.

Les mots courts et les mots courants sont reconnus plus rapidement. On les comprend mieux. Et on les retient mieux.

UTILISEZ DES MOTS SIMPLES	
ÉCRIVEZ	**AU LIEU DE**
Déçu	Désappointé
Accord	Consensus
Achat	Acquisition
Trop	Excessivement
Étude	Investigation

Mieux vaut utiliser des affirmations et des mots concrets, et rejeter les termes abstraits, en particulier ceux qui finissent par « tion », « ment » et « iste ». Écrivez « loi » au lieu de « législation », et « ciel » au lieu de « firmament ». Les mots concrets sont mieux compris que les mots abstraits. La psychologie de la mémoire nous apprend également qu'ils sont mémorisés plus facilement.

Bannissez ou utilisez avec précaution jargons, mots savants, mots étrangers, patois, archaïsmes, abréviations et mots nouveaux.

Le bon texte publicitaire utilise toujours les 2 200 mots du français fondamental[9]. Les mots que vous emploierez doivent provenir à 80 % de cette liste. Sinon, le lecteur n'assimilera pas grand-chose de ce qui est écrit.

Dans une note de service distribuée au sein de son agence, Leo Burnett indiquait : « N'écrivez rien qui ne pourrait pas être compris par un enfant de 16 ans[10]. » C'est plus vrai que jamais.

Évidemment, vous pouvez parler de RAM et de logiciels quand vous écrivez dans une revue spécialisée en informatique. Mais je ne donne pas cher de votre peau si vous vous acharnez à parler de mémoire interne et de mémoire externe dans une revue à potins.

N'oubliez jamais que le vocabulaire de base d'un Québécois est évalué à environ 500 mots. À cela peut s'ajouter le vocabulaire spécialisé de chacun, suivant sa profession, son milieu social, sa région, ses activités habituelles, sa culture et son style de vie. Mais vous ne pourrez y recourir à coup sûr que si votre public cible est bien déterminé.

9. Écrivez des phrases courtes

Des enquêtes de mémorisation de lecture effectuées aux États-Unis et en France révèlent que les phrases courtes sont mieux mémorisées que les phrases longues. En français, la phrase de 17 mots apparaît comme le maximum théorique admis pour une mémorisation correcte de votre message. Au-delà, il y aura perte d'information.

10. Soyez positif

Quand vous dites : « Les croustilles Zombo ne contiennent pas d'agents de conservation », la majorité des lecteurs se rappelleront plus tard que votre produit contient des agents de conservation. En effet, la négation s'oublie facilement. Entendus ensemble, les concepts « croustilles Zombo » et « agents de conservation » sont stockés l'un à côté de l'autre en mémoire et se retrouvent naturellement associés.

Il y a quelques années, lorsque la compagnie Philip Morris a insisté sur le fait que l'une de ses marques de cigarettes était moins irritante que les autres, les personnes interrogées par Weiss et Geller pour expliquer la mévente qui s'ensuivit déclarèrent : « Quand je pense à Philip Morris, je pense à "irritation" [11]. »

Si vous devez absolument utiliser une phrase négative, attirez l'attention du lecteur sur votre négation en la <u>soulignant</u> ou en l'imprimant en *italique.*

11. Respectez la structure sujet-verbe-complément

L'usage fréquent de propositions emboîtées les unes dans les autres exige un effort d'attention considérable de la part du lecteur. Un taux d'emboîtement élevé nuit à la bonne compréhension de votre texte.

Si vous voulez être bien compris — donc bien retenu —, réservez pour la fin de vos phrases les mots relativement peu importants. En moyenne, les mots placés en début de phrase sont mieux mémorisés que les mots placés en fin de phrase.

12. Suggérez une continuité de type cause à effet

Le spécialiste français de la lisibilité, François Richaudeau, a découvert que les débuts de phrases utilisant les locutions *c'est pourquoi, par conséquent, en effet, il est assez clair que, parce que, à cause de, en dépit de, toute-*

fois et *malgré* favorisent la mémorisation de votre phrase en entier[12]. D'après Richaudeau, ce genre de phrase implique une structure bien définie de la suite linguistique et favorise donc la capacité de prédiction.

Le lecteur qui désire en savoir plus long sur tout ce qui concerne la lisibilité doit absolument lire les ouvrages intitulés *La lisibilité*, *L'écriture efficace* et *Le langage efficace* du spécialiste François Richaudeau.

13. N'abusez pas des points de suspension

En trop grande quantité, les points de suspension finissent par fatiguer le lecteur en bloquant les mécanismes de la pensée.

14. Utilisez modérément les points d'exclamation

Ils sont souvent le refuge des rédacteurs qui ne parviennent pas à écrire avec émotion.

15. Répétez le nom de votre produit

En publicité, c'est une bonne idée de répéter le nom de votre produit le plus souvent possible. Prenez la publicité des piles Eveready. Elle a remporté plusieurs prix publicitaires et elle a été classée parmi les meilleurs messages de 1990. Pourtant, 40 % des gens interrogés attribuent cette publicité au compétiteur Duracell, qui, grâce à Eveready, voit ses ventes augmenter.

16. Évitez les banalités

Fuyez comme la peste les platitudes et les généralités du genre «le meilleur au monde», «le premier», «le préféré de tous», «l'idéal, le plus économique», «le moins cher», «le meilleur marché», «le plus performant», «le plus fiable», «le plus solide», «l'inimitable», «l'incomparable» et «l'unique». Très peu de campagnes publicitaires ont réussi à faire leur marque en recourant à ce moyen. Certes, il y a bien eu quelques exceptions, mais avec le temps, ces exagérations ont complètement perdu tout pouvoir vendeur.

17. Oubliez-vous complètement

Laissez de côté les expressions du type : « Exigez cette marque », « Achetez ma marque », « Refusez les imitations » et « Méfiez-vous des imitations ». S'ils y trouvent leur propre intérêt, les consommateurs seront réceptifs à vos déclarations. En revanche, ils vous ignoreront si vous essayez de leur forcer la main pour obtenir ce qui n'est finalement qu'un avantage pour vous-même.

18. Soyez cordial

Selon James D. Woolf, auteur d'une chronique qui paraissait dans le magazine *Advertising Age* durant les années 50 et 60, vous avez de meilleures chances de rédiger une publicité à succès si vous êtes chaleureux, sincère et amical [13].

19. Utilisez un intertitre toutes les 25 lignes

Les intertitres les plus efficaces sont ceux qui intriguent le lecteur et lui permettent de saisir votre argumentation sans devoir lire votre texte du début à la fin.

20. Concluez

Les messages qui contiennent une conclusion formulée explicitement sont deux fois plus efficaces que ceux qui n'en comportent pas [14].

Dans vos conclusions, visez à ce que le client potentiel pose un geste. Votre lecteur est en train de feuilleter le journal dans lequel apparaît votre annonce. Il a lu les nouvelles du sport. Il a vérifié les numéros de la loto. Soudain, il a remarqué votre annonce et a commencé à la lire. Puis, au bout de quelques instants, il a recommencé à feuilleter son journal comme si de rien n'était. Ce n'est pas acceptable. Vous ne pouvez pas vous permettre de perdre ainsi des milliers de clients. Il existe des techniques pour persuader le lecteur de bouger.

Tout d'abord, reformulez les avantages principaux que vous proposez. Plus le lecteur a présent à l'esprit les avantages qu'il peut obtenir, plus il pourra justifier pour lui-même la décision que vous voulez qu'il prenne.

Ensuite, incitez le lecteur à passer à l'action. Faites-lui comprendre qu'il doit agir tout de suite. Pour ce faire, imposez une date limite et rappelez que les quantités sont limitées.

Rassurez les consommateurs en offrant une garantie complète. La garantie est essentielle pour vendre des produits ou des services. Souvent, les gens sont nerveux à l'idée de se procurer un nouveau produit. Ils veulent être en confiance. La satisfaction garantie permet de réduire la tension et de stimuler les ventes.

Terminez votre texte en indiquant votre adresse, vos conditions de vente et votre numéro de téléphone. Ajoutez votre signature et votre logo. Enfin, si vous utilisez un coupon, placez-le en bas, à droite.

UN TEXTE COURT OU UN TEXTE LONG ?

De façon générale, les enquêtes montrent que la longueur d'un texte doit varier en fonction des trois éléments suivants :

1. *Les médias que vous avez retenus pour mener votre campagne à terme.* En marketing direct, par exemple, le rédacteur publicitaire John Caples révèle que les textes courts ne vendent pas. « Dans les textes comparatifs, écrit Caples, les textes longs vendent toujours plus que les textes courts [15]. » Dans son livre *Direct Mail and Mail Order Handbook,* Richard S. Hodgson rapporte qu'une lettre de 11 pages envoyée à 500 clients potentiels a entraîné 161 réponses positives et des revenus 45 fois plus élevés que les coûts [16].

2. *Vos cibles.* C'est triste à dire, mais certaines classes de la population se refusent à tout effort de lecture dépassant quelques mots. Selon Joseph Newman et Richard Staelin, plus les consommateurs potentiels d'un produit sont instruits, plus ils ont tendance à rechercher de l'information avant l'achat [17]. Tenez-en compte.

3. *Le produit ou le service pour lequel vous faites de la publicité.* Un texte long vend plus qu'un texte court, en particulier quand vous annoncez une nouveauté, quand vous parlez à des techniciens, quand vous voulez rectifier vos positions ou quand vous demandez aux gens de dépenser beaucoup d'argent.

Par ailleurs, limitez la longueur de vos textes quand vous faites de la publicité pour des boissons gazeuses, des vêtements, des bonbons, des croustilles, de la bière, du vin, des bijoux, de la lingerie, du parfum, du savon, des produits de beauté ou du shampoing. Il n'y a presque pas d'argumentation à faire valoir. Tous ces produits sont achetés sur la base de l'émotion.

FLASH INFO

4 RAISONS D'ÉCRIRE UN TEXTE LONG

1. Quand vous annoncez une nouveauté

Chaque fois que vous lancez un nouveau produit sur le marché, votre texte doit énoncer des faits concrets, c'est-à-dire informer votre lecteur sur la nature et les propriétés de votre produit : ses formes, ses dimensions, son poids, ses couleurs, son prix, sa taille, ses performances, ses qualités, et ainsi de suite.

2. Quand vous parlez à des techniciens qui achètent des produits au nom de leurs entreprises

Ce sont d'abord les articles à usage industriel, agricole, commercial, ménager, les machines et l'outillage, les matériaux de construction, les fournitures industrielles, mais aussi tous les produits en général qui s'adressent à une classe d'acheteurs spécialisés, lesquels, par nature, sont réceptifs à des arguments d'ordre technique.

3. Quand vous voulez rectifier vos positions

Pour faire oublier une situation de crise, il faut s'expliquer. Quand les marchés d'alimentation Provigo ont été soupçonnés d'avoir vendu du poisson avarié aux Québécois, ils ont fait face au problème en publiant un texte de 1 392 mots dans tous les grands quotidiens québécois pour tirer l'affaire au clair.

4. Quand vous demandez au lecteur de dépenser beaucoup d'argent

Un ordinateur, une voiture, un fonds commun de placement ou un séminaire demandent de longs textes. Ces produits ont une durée de vie relativement longue. Le consommateur qui songe à en faire l'achat a besoin d'information pour se faire une idée. Dans tous les cas, votre texte a pour mission de l'aider à justifier le prix de votre produit pour des raisons de qualité, de performance, de statut social et de prestige.

COMMENT AUGMENTER LA CRÉDIBILITÉ DE VOS PUBLICITÉS

En publicité, appuyez tout ce que vous dites par des preuves. La plupart des gens sont quelque peu sceptiques à l'égard de la publicité. Un sondage Gallup indique que deux Canadiens sur trois estiment que la plus grande partie des commerciaux télévisés ne sont pas véridiques, et un sur quatre pense que toutes les publicités sont malhonnêtes. Voici 11 façons de rendre vos affirmations plus crédibles :

1. Les études et les tests

Quand il s'agit de persuader les gens d'acheter un produit, les études et les rapports d'enquêtes réalisés par des centres de recherche indépendants obtiennent des résultats au-dessus de la moyenne.

2. Les comptes rendus d'utilisation exceptionnelle

Pour démontrer sa solidité, la compagnie Maytag a déjà fait paraître une annonce dans laquelle on pouvait lire :

> « Notre Maytag fait toute la lessive de la communauté depuis 1969... et nous sommes 35 !

> « Durant toutes ces années, notre Maytag nous a merveilleusement bien servis et nous n'avons que des éloges à faire.

> « Il y a dix ans que nous avons acheté notre laveuse Maytag pour le couvent [...].

> « Depuis, elle fait en moyenne 50 à 60 brassées par semaine. Et pendant tout ce temps, elle n'a eu besoin que de peu de réparations. Cela démontre bien que les laveuses Maytag sont faites pour durer plus longtemps et vous faire économiser avec moins de réparations. »

3. La satisfaction garantie

Une étude entreprise par William Bearden et Terence Shimp a établi que la garantie de remboursement constitue de nos jours un argument clé dans la mesure où elle est totale [18].

Lorsque Scotch a offert une garantie permanente sur ses vidéocassettes tout usage et un remplacement gratuit si le produit présentait un défaut par la suite, la marque de ruban magnétoscopique est devenue la plus vendue.

Curieusement, en offrant un séjour gratuit à ses clients insatisfaits, Holiday Inn a découvert que cela augmentait aussi la qualité du service à la clientèle.

Exceptionnellement, une garantie peut aussi avoir des effets négatifs. Après avoir offert à ses consommateurs une garantie de livraison en 30 minutes, Domino's Pizza a été forcé de réévaluer sa politique à cause de la conduite dangereuse de certains livreurs.

4. La mention d'approbation par un organisme officiel

Les déclarations d'organismes crédibles (organisation indépendante de consommateurs, institution d'enseignement, association de commerce ou organisme gouvernemental) obtiennent des taux de persuasion supérieurs à la moyenne.

La nourriture pour chiens Dr. Ballard porte le sceau de l'Association canadienne des vétérinaires. Quand Procter & Gamble a reçu l'appui de l'Association dentaire américaine pour son dentifrice Crest, les ventes ont augmenté de 23 % en l'espace de quelques mois [19].

Après avoir reçu une recommandation du National Fraternal Order of Police, aux États-Unis, les ventes du dispositif antivol pour blocage de volant The Club ont atteint 100 millions de dollars, une augmentation de 75 % par rapport à l'année précédente [20].

5. Les prix et les médailles

Chaque fois que vous remportez un trophée ou un concours, écrivez-le. Le public estime que les produits qui remportent des trophées et des médailles sont d'une qualité supérieure.

Au Québec, le film *Les Invasions barbares* a bénéficié des prix remportés à Cannes en 2003[21]. Après la projection officielle au Festival, les recettes au guichet ont bondi de 30 % par rapport à la semaine précédente. Après avoir gagné la Palme d'or, le film a amassé 100 000 $ de plus qu'à sa fin de semaine d'ouverture, ce qui arrive très rarement.

L'effet *Academy Awards* a également été important : depuis que Denys Arcand et ses producteurs ont remporté l'Oscar du meilleur film en langue étrangère, en mars 2004, le film, au moment d'écrire ces lignes, avait engrangé des revenus internationaux de l'ordre de 50 millions de dollars.

6. La durée de vie du produit

Quand un produit existe depuis longtemps, les consommateurs ont tendance à tenir pour acquis qu'il est d'une meilleure qualité.

Le savon Ivory a 113 ans. Le jus de raisin Welch a 135 ans. Pennzoil, 115 ans. Le pain Weston, lui, a 110 ans. Les fécules de maïs Benson's existent depuis 141 ans. Les crayons Crayola pour enfants depuis 100 ans. Le chocolat Hershey's fête ses 120 ans. Le Jell-O ses 107 ans. La bière Molson ses 210 ans. Le bicarbonate de soude Cow Brand ses 110 ans. Hellmann ses 85 ans. Et ce sont tous des produits gagnants.

7. La quantité de clients servis

Le nombre de clients satisfaits peut être persuasif, comme lorsque les restaurants McDonald's déclarent qu'ils ont servi plus de 70 milliards de personnes.

Plusieurs habitudes de consommation sont directement influen-cées par la mode. Un Noël, tous les parents achètent des poupées Bout d'chou à leurs enfants, tandis qu'au Noël suivant, les jeux vidéo Nintendo prendront la vedette. Une année, tous veulent s'acheter une planche à voile, tandis qu'une autre année, c'est un vélo de montagne. Une année, les femmes se parfument avec Anaïs Anaïs, alors qu'une autre année, les femmes utilisent Obsession. Voici trois façons de miser sur l'enthousiasme populaire :

- Vous pouvez utiliser des pourcentages : « 90 % des Québécois choisissent Anacin. »

- Vous pouvez parler des ventes : « Plus de 12 000 automobiles vendues l'an dernier. »

- Vous pouvez mentionner des clients satisfaits : « Neuf person-nes sur dix préfèrent Seven-Up. »

Quoi que vous fassiez, vos publicités auront avantage à projeter l'image du produit que tout le monde veut posséder. Claude Hopkins, de l'agence Lord & Thomas, écrivait : « Les gens sont comme des moutons. Ils sont incapables de juger de la valeur exacte des choses, tout aussi incapables que vous et moi. Nous jugeons les choses, pour une bonne part, d'après l'impression d'autrui, d'après la faveur dont elles jouissent auprès du public. Nous suivons la foule [...]. C'est là un facteur dont il faut tenir compte. Les gens suivent les styles et les préférences en vogue. Il est rare que la décision vienne de nous-mêmes, parce que nous ne connaissons pas les faits. Lorsque nous voyons la foule s'engager dans une certaine direction, nous sommes très enclins à faire comme elle [22]. »

Quand un produit perd de son éclat dans l'opinion publique, les conséquences peuvent être désastreuses. Lorsque Martha Stewart a été soupçonnée d'avoir négocié des actions après avoir obtenu de l'information privilégiée, l'opinion publique a été lente à se manifester. Initialement, 17,8 % des gens ont affirmé que cette histoire les rendait moins susceptibles d'acheter les produits de Martha Stewart. Un an plus tard, ce pourcentage était passé à 28,6 %.

8. Un client célèbre

Au début de son mandat, Bill Clinton avait pris l'habitude de terminer son jogging matinal par un arrêt au McDonald's. Il va sans dire que cette pause matinale donnait au géant du hamburger une visibilité importante.

Selon Thomas Harris, ancien responsable des relations publiques pour McDonald's, « cela eut pour effet de légitimer le menu de la chaîne, tout en la rendant sympathique, et ce, même pour quelqu'un qui n'était pas un habitué du hamburger [23] ».

9. Le nombre de magasins

La chaîne de restauration rapide McDonald's possède 30 000 restaurants dans plus de 100 pays. Chaque jour, elle sert plus de 46 millions de consommateurs.

En rappelant aux consommateurs qu'il y a 21 629 franchises en activité dans 76 pays, les restaurants Subway démontrent la force de leur produit.

10. Les témoignages de fidèles utilisateurs

Encore aujourd'hui, les témoignages d'utilisateurs loyaux constituent l'un des moyens les plus puissants pour vendre des produits de consommation courante comme le café, le détergent ou le shampoing.

Si vous avez recours à des utilisateurs loyaux pour témoigner de la qualité de vos produits, misez sur un seul témoignage à la fois. Et, surtout, n'en améliorez pas le style. Le rédacteur publicitaire et auteur d'une cinquantaine d'ouvrages sur le marketing direct, Robert Bly, rapporte « qu'un ton naturel ajoute de la crédibilité à un témoignage [24] ».

11. Les témoignages d'administrateurs haut placés dans l'entreprise

Les campagnes publicitaires de Remington, Chrysler, Sleeman et Wendy's utilisent des porte-parole haut placés de leur compagnie pour augmenter la crédibilité et les ventes de leur produit.

Depuis que Victor Kiam apparaît dans ses annonces, les ventes du rasoir électrique Remington sont passées de 43 millions de dollars par année à plus de 100 millions de dollars. Bien sûr, ce commercial n'a remporté ni trophée ni concours de popularité. Mais comme le fait remarquer Edward F. Cone, « il a persuadé de nombreuses personnes d'acheter des rasoirs Remington [25] ».

Pendant des années, Dave Thomas, président et fondateur de Wendy's, est apparu dans les publicités de la célèbre chaîne de restauration rapide. De son vivant, il a figuré dans plus de 800 publicités de Wendy's. Même s'il est décédé depuis quelque temps, Thomas restera associé à l'image de l'entreprise pour longtemps. En effet, Wendy's s'est porté acquéreur de l'image de l'ex-président juste avant son décès.

De 1980 jusqu'à sa mort, la présence de Lee Iacocca dans les publicités nationales de Chrysler a eu des effets remarquables. Ces publicités ont fait de Iacocca un héros pour toute une génération d'Américains.

Mis à part Ultramar et Chrysler Canada, peu d'annonceurs québécois utilisent cette technique publicitaire, pourtant fort efficace. Comment expliquer l'absence d'administrateur ou de président de compagnie au Québec ? D'après François Lacoursière, associé principal et directeur général publicité et design chez Diesel Marketing, « l'explication est surtout culturelle, le star-système québécois étant surtout axé sur les artistes. Aussi, on préfère s'associer à un artiste populaire[26]. »

À l'occasion, les témoignages d'administrateurs haut placés peuvent être un couteau à double tranchant. Si l'administrateur connaît des ratés, comme ce fut le cas pour Martha Stewart, tout l'édifice est ébranlé.

L'HUMOUR FAIT-IL VENDRE ?

La publicité humoristique est à la mode. Au Québec, une étude d'Impact Recherche montre que 15 % des publicités utilisent l'humour comme principal ingrédient[27]. Aux États-Unis, l'humour est utilisé dans 24,4 % des messages publicitaires télévisés[28].

Le succès des campagnes publicitaires pour le Poulet Frit Kentucky (PFK), Pepsi-Cola et la Labatt Bleue confirment le potentiel vendeur de l'humour dans certains cas. Depuis plusieurs années, la bière Heineken utilise humour et musique pour augmenter ses ventes. Plus récemment, la campagne « Ah ! Ha ! Familiprix ! » a permis à la chaîne de pharmacies de rajeunir son image et d'augmenter sa notoriété, malgré un petit budget publicitaire.

De nombreux publicitaires ne jurent que par l'humour. En fait, plus de 55 % des chercheurs professionnels estiment que les messages humoristiques obtiennent des résultats supérieurs aux messages non humoristiques[29]. Pourtant, des publicitaires renommés comme Claude Hopkins, Rosser Reeves, David Ogilvy et Claude Cossette ont mis les annonceurs en garde, leur rappelant que l'objectif de la publicité n'est pas d'amuser et de divertir, mais de vendre.

Quand on parle humour en publicité, un premier constat s'impose : l'humour a un impact positif sur *l'attention accordée au message*. Une étude conduite par McCollum Spielman montre que 75 % des publicités utilisant l'humour obtiennent un taux d'attention égal ou supérieur à la moyenne[30]. L'humour génère des taux d'attention supérieurs dans la publicité de magazine[31], la publicité télévisée[32] et la publicité radio-phonique[33].

L'humour est efficace lorsqu'il y a un lien entre le concept et le produit[34]. Il donne de bons résultats si vous avez quelque chose à vous faire pardonner. Généralement, il est employé par le challenger qui attaque le leader — le cas de Pepsi étant le meilleur exemple. L'humour permet aussi de dédramatiser les produits ou les services difficiles.

L'humour est plus efficace que la peur pour persuader et augmenter le capital de sympathie d'un produit. Les messages humoristiques sont particulièrement efficaces pour rejoindre les jeunes hommes[35] et pour vendre des produits de consommation courante[36] comme la bière, les biscuits, les tablettes de chocolat, les boissons gazeuses et la gomme à mâcher.

● —— FLASH INFO —— ●

4 SECTEURS OÙ L'HUMOUR N'EST PAS EFFICACE

Produits reliés à l'argent
Banques, fiducies, immobilier, maisons de courtage

Produits reliés au bien-être
Assurances, médicaments, service de santé

Articles onéreux
Automobiles, chaînes hautes-fidélités

Produits d'usage personnel
Cosmétiques, parfums, boissons alcoolisées

Source : Cossette, Claude, et René Déry, *La publicité en action,* Québec, Les Éditions Riguil internationales, 1992, p. 404.

FLASH INFO

L'HUMOUR ET LES MÉDIAS

Télévision

Elle permet des histoires complètes avec un début, une intrigue et une chute finale.

Radio

Ce sont souvent des histoires drôles, des sortes de mini-dialogues entre personnages. Pour maximiser les résultats, il arrive souvent que les sketchs soient conçus par des humoristes professionnels.

Imprimé

L'humour est un défi. Il se fait plus subtil. Dans ce média, le visuel doit être percutant.

Affichage

Histoire de communiquer rapidement, c'est le média où l'on emploie le plus de jeux de mots. L'affichage reprend souvent un message livré précédemment par la télévision.

Les conclusions des études sur l'humour sont plus nuancées au sujet des *effets* de l'humour sur le comportement du consommateur. McCollum Spielman a découvert que seulement 31 % des messages humoristiques étaient plus persuasifs que la normale. Il semble que l'humour réduirait la compréhension du message et sa mémorisation[37]. Les messages humoristiques perdraient aussi de leur efficacité plus rapidement. C'est ce qui explique pourquoi il faut prévoir plusieurs messages différents si on choisit d'employer l'humour.

En règle générale, les messages humoristiques ont des résultats inférieurs à la moyenne quand il s'agit de vendre de nouveaux produits et des médicaments, des spiritueux, des cosmétiques, des parfums, des automobiles de luxe, des assurances, des services financiers et des produits nouveaux.

Une recherche portant sur l'humour en publicité a révélé que les messages humoristiques sont plus efficaces à la radio et à la télévision[38]. L'humour serait moins efficace dans les médias imprimés. D'autres recherches ont montré que la radio est le média qui accorde le plus de place à l'humour, suivie par la télévision.

LES PROMOTIONS : POUR OU CONTRE ?

La promotion des ventes permet d'accélérer les ventes à brève échéance. Elle utilise généralement les affiches sur le lieu de vente, le publipostage, les journaux et les dépliants.

Depuis 20 ans, la promotion ne cesse de prendre de l'importance, et ce, aux dépens de la publicité. En 1969, 53 % des budgets de marketing étaient investis en publicité. Vingt ans plus tard, Donnelley Marketing indique que 70 % des budgets de marketing vont désormais à la promotion[39]. Voici 10 façons de rendre vos promotions plus efficaces :

1. Les bons de réduction

Les bons de réduction constituent l'un des outils promotionnels les plus utilisés. Selon NCH Promotional Services, les entreprises canadiennes ont distribué 2,32 milliards de coupons en 2002. De ce nombre, 110 millions ont été utilisés. Les coupons ont plusieurs avantages :

- Ils peuvent relancer une marque en déclin.
- À court terme, ils augmentent votre part de marché.
- Ils génèrent de l'intérêt autour de votre produit.
- Ils permettent de rejoindre un grand nombre de consommateurs dans un court laps de temps.
- Ils réduisent les infidélités. Selon ACNielsen, les utilisateurs de coupons restent fidèles plus longtemps à la marque que les consommateurs qui bénéficient des rabais directement en magasin.

- Ils peuvent être utilisés pour attirer l'attention des consommateurs sur une nouvelle saveur ou un nouveau format.

- Ils donnent le goût aux gens d'essayer votre produit. On estime que 65 % des coupons utilisés permettent de rejoindre de nouveaux clients (50 % pour les marques établies).

FLASH INFO

COMMENT FAIRE UN BON COUPON

L'offre
Elle doit être claire, visible, spécifique et précise : quantité, format, couleur, etc.

La valeur
Votre coupon devrait avoir une valeur minimale de 50 cents.

La date de péremption
Elle devrait apparaître idéalement au centre dans la moitié supérieure du coupon.

Le produit
Mentionnez clairement le nom de votre produit. Montrez-le et incluez un logo pour éviter toute confusion.

Le titre
Parlez économie. Mettez l'accent sur l'économie d'argent. Soyez bref. Utilisez des mots comme « Économisez » ou « Rabais ».

L'emplacement
Le coupon devrait apparaître dans la partie inférieure de votre publicité, idéalement en bas, à droite.

Le code-barres
Il devrait être placé dans la moitié inférieure droite du coupon.

Le format
Utilisez un format standard — 6 pouces sur 2 pouces.

D'après Nielsen, 58 % des familles utilisaient les bons de réduction en 1971, 65 % les utilisaient en 1975 et 76 % en 1980[40]. Ce sont les familles de la classe moyenne qui sont les plus grands utilisateurs de ces coupons.

Le taux d'utilisation des bons de réduction varie en fonction des pays. Au Canada, le taux de retour en 2004 est d'environ 4 %[41]. En comparaison, le retour des coupons s'élève à 56 % en Belgique[42], 16 % en Italie et en Espagne, et 7,5 % en Angleterre.

Au Canada, les Québécois sont les plus grands utilisateurs de bons de réduction. En fait, le Québec est l'un des derniers endroits en Amérique du Nord ou l'on retrouve régulièrement des coupons dans les circulaires des géants de l'alimentation.

Il faut dire que les coupons ont deux désavantages. Premièrement, plus de 20 % des coupons sont utilisés frauduleusement, ce qui pose de plus en plus de problèmes aux entreprises[43]. Ensuite, les coupons n'augmentent pas la fidélité à la marque ni la courbe des ventes à moyen et à long termes. En réalité, 1 promotion sur 10 génère une hausse des ventes supérieure à 10 %[44].

FLASH INFO

LES COUPONS EN CHIFFRES

• Les coupons utilisés en 2002 avaient une valeur moyenne de 1,25 $.

• Les coupons de réduction sur la nourriture ont une valeur moyenne inférieure : 0,75 $.

• Les coupons pour les produits d'entretiens ménagers, la nourriture pour enfants et celles pour les animaux représentent 30 % des coupons distribués annuellement.

• Les coupons de nourriture sont les plus utilisés. Ils représentent 50 % de tous les coupons utilisés.

Source : ACNielsen, 2003.

2. Les événements spéciaux

Ils permettent de rejoindre un public captif et intéressé. Même si leur visibilité est moins importante, les événements spéciaux sont une arme redoutable.

GM organise des spectacles en plein air accessibles seulement aux propriétaires de Saturn. Molson investit chaque année de 30 % à 40 % de son budget de communication-marketing à l'organisation d'événements, que ce soit des fêtes en entrepôt ou des lancements de produits.

3. Les échantillons

Pour lancer un nouveau produit ou pour améliorer la vente d'un produit déjà sur le marché, la distribution d'échantillons gratuits est un stimulateur puissant. En l'absence de toute publicité ou de promotion sur le produit, 33 % des personnes ayant reçu un échantillon gratuit d'une nouvelle marque de café en ont parlé autour d'elles[45].

Dans les marchés d'alimentation, une dégustation peut générer un achat impulsif dans 8 cas sur 10.

Dans l'industrie des parfums, ce sont les échantillons, et non la publicité, qui font souvent foi de tout. « La publicité sera toujours nécessaire pour établir une image, mais on a découvert que l'élément le plus important de cette industrie est de se retrouver entre les mains du consommateur », déclare Sharon LeVan, vice-présidente senior chez Max Factor[46].

Si vous décidez de distribuer un échantillon de vos produits en porte à porte, le Publisac peut vous faciliter la tâche. Ce produit est distribué dans près de trois millions de foyers au Québec. Plusieurs multinationales l'utilisent pour augmenter rapidement la notoriété d'un nouveau produit. Grâce à sa distribution ciblée, il est également possible de choisir vos quartiers et de faire des tests de produits.

4. Les cadeaux

Les cadeaux sont un autre moyen d'attirer la clientèle dans votre commerce. Chaque année, McDonald's donne 1,5 milliard de jouets dans le monde. En fait, McDonald's et ses compétiteurs donnent annuellement presque un tiers de tous les jouets distribués aux États-Unis [47].

Si vous offrez un cadeau en prime, faites en sorte que ce soit un cadeau-surprise [48]. La curiosité est un des stimulants les plus puissants de la nature humaine. Si vous indiquez avec précision quel est le cadeau que vous offrez, quelques personnes le voudront, mais un plus grand nombre décideront qu'ils n'en ont pas besoin. En revanche, tout le monde désire un cadeau-surprise.

« Les offres de type "cadeau avec achat", très fréquentes dans l'industrie des cosmétiques, représentent une occasion favorisant les découvertes », rappelle François Perreault [49].

5. Les baisses de prix

Plus que jamais, le prix d'un produit est un élément déterminant en marketing. Le prix est un outil tactique qui incite les consommateurs à se procurer ou à éviter votre produit. Une étude réalisée par la Cahners Advertising Research Report montre que 98,7 % des consommateurs sont influencés par le prix lorsqu'ils achètent un produit [50].

Fixer le prix d'un produit est une science complexe. La plupart des recherches assument que les prix se terminant par des chiffres impairs obtiennent des résultats supérieurs à ceux se terminant par des chiffres pairs. Autour de 80 % des produits ont un prix se terminant par le chiffre 9 ou 5 [51].

En jouant avec les prix et les formats, le docteur Wansink a fait une découverte amusante [52]. Quand on offre aux consommateurs de la soupe en conserve à 79 cents sans limite d'achat, ils se procurent généralement trois à quatre conserves de soupe. Cependant, si on impose un nombre maximum de 12 soupes en conserve par client, les consommateurs en achètent en moyenne 7, soit une augmentation de 112 %. Dans le même sens, une affiche qui indique 4 pour 4 $ fera vendre davantage que celle indiquant 1 pour 1 $.

6. Les emballages particuliers

En 2003, Molson a mis sur les tablettes une édition spéciale de barils de cinq litres de Molson Ex à l'effigie des Canadiens de Montréal. Ce fut un succès.

Cela peut sembler évident, mais testez vos emballages avant de les lancer sur le marché. La promotion Magic Summer '90, une des plus importantes jamais mises sur pied par Coca-Cola, connut une fin abrupte[53]. En effet, le mécanisme disposé à l'intérieur de certaines des 750 000 cannettes de boisson gazeuse avait des ratés. Le mécanisme qui devait faire surgir entre 5 $ et 200 $ en argent à l'ouverture des cannettes refusa de fonctionner à quelques reprises. Au moins un enfant but le liquide remplaçant le Coke dans les cannettes gagnantes. D'autres furent très surpris de voir des rouleaux de dollars surgir de leur cannette. Coca-Cola fut enfin critiquée pour avoir envoyé aux journalistes des cannettes gagnantes à titre promotionnel. Tout cela se termina en un cuisant échec financier.

7. Les offres gratuites et les primes

Dans un monde où l'infidélité est devenue la norme, les publicités qui annoncent des offres gratuites (« achetez trois savons, obtenez le quatrième gratuitement ») et des offres spéciales (« achetez le shampoing, obtenez le revitalisant en prime ») sont gagnantes à coup sûr.

8. Les programmes de fidélisation

Durant les années 80, les programmes de fidélisation se sont multipliés à l'infini. Les premières entreprises à reconnaître ce potentiel furent les compagnies aériennes.

Au milieu des années 80, plusieurs chaînes d'hôtels ont créé des programmes de fidélisation : Marriott, Holiday Inn, Radisson et Hyatt. Une recherche menée par la chaîne Radisson indique que 70 % des voyageurs sondés sont influencés par ce type de programme promotionnel.

De nos jours, on estime que 60 % des Canadiens sont détenteurs d'une carte de fidélisation[54]. Le programme de fidélisation repose sur un principe tout simple : quel que soit le secteur d'activité, 80 % du chiffre d'affaires est généré par 20 % de la clientèle. En attirant ces 20 %, une entreprise est donc assurée de faire ses frais.

En plus d'augmenter le chiffre d'affaires de la compagnie, les programmes de fidélisation comme ceux d'Air Miles, d'Optimum ou d'Aéroplan permettent de mieux connaître la clientèle. Zellers opère un programme de fidélisation depuis une quinzaine d'années. Le Club Z compte près de 10 millions de membres, dont 7,6 millions font des achats sur une base mensuelle.

Le programme de fidélisation de Canadian Tire avec son argent CT est un autre exemple de programme original et efficace. Créé en 1958, le taux de retour des billets tourne autour de 80 %. On évalue à 200 millions de dollars la valeur des billets présentement en circulation. On peut aussi remplacer les dollars par des timbres comme le fait Subway. Dans un cas comme dans l'autre, l'idée reste la même : faire revenir les clients dans le magasin.

9. Les remboursements par la poste

Il s'agit d'une technique de plus en plus populaire, spécialement dans le secteur informatique. Pour l'entreprise, cette méthode a un avantage important : les chiffres internes de plusieurs sociétés indiquent qu'un pourcentage significatif d'acheteurs négligent de demander un remboursement.

10. Les concours

Pour les consommateurs, c'est l'outil de promotion le plus stimulant. Les concours favorisent l'essai du produit et suscitent l'enthousiasme. Au cours des années, les entreprises ont offert tous les prix possibles : bijoux, voyages, argent, voitures, bateaux, etc.

Quand vous mettez sur pied une promotion, ne faites pas l'erreur d'imprimer trop de billets chanceux comme l'ont déjà fait Kraft, Anheuser-Busch ou Maytag. En 1993, Maytag Angleterre a évité de peu le fiasco à la suite d'une offre de billets d'avion gratuits avec chaque achat de 150 $ de produits Hoover. Plus de 200 000 clients ont demandé un voyage aérien gratuit !

Aux Philippines, Pepsi-Cola a dû faire face à 800 000 gagnants après avoir donné un mauvais numéro gagnant lors d'un concours. La multinationale a eu droit à de violentes manifestations. Elle a finalement acheté la paix en donnant 20 $ à chaque détenteur d'un billet gagnant.

À l'inverse, essayez de concevoir un concours qui risque de recevoir un accueil raisonnable. En 1992, la promotion de Coca-Cola lors des Jeux Olympiques n'a pas couronné un seul gagnant.

Mine de rien, les activités de promotion sont en train de changer notre façon de magasiner. Les demandes d'information ou de documentation, les essais gratuits ou l'adhésion à un club ont tous révolutionné la promotion.

Selon John Philip Jones, il est maintenant certain que les consommateurs n'achètent pas une marque précise, mais plutôt un répertoire de quatre ou cinq marques et vont de l'une à l'autre selon les circonstances[55].

Pour cette raison, il n'est jamais sage d'abuser des promotions. Les réductions et les autres moyens de promotion sont très efficaces pour augmenter les ventes d'un produit à court terme, mais il constitue un danger à long terme. Si la promotion permet d'obtenir des résultats rapides, on ne peut prétendre à un effet durable[56].

Le professeur Don Schultz affirme: «L'un des plus grands risques est de donner naissance à un groupe de consommateurs désireux de profiter systématiquement des occasions et de détruire ainsi la structure interne du prix du produit. [...] En insistant sur ces promotions, les annonceurs créent un marché avec des gens qui ne se soucient pas de savoir s'il s'agit de Dr. Pepper, de Seven-Up ou de Coke. Tout ce que voient les gens, c'est que le prix est de 1,09 $. C'est ainsi qu'on finit par détruire la notoriété d'une marque[57].»

Claude Cossette et René Déry, auteurs de *La publicité en action*, insistent: «Si le prix courant est continuellement réduit de 33 %, on finira par en déduire que le produit n'a jamais valu plus de 66 %.[58]»

Lan Daykin, directeur de Brand Management Report, ajoute: «À leurs débuts, les bons de réduction étaient utilisés de façon sélective par le fabricant. Aujourd'hui, cette utilisation est quasi automatique. À la longue, l'effet est négatif, parce que toutes les semaines, un consommateur au regard affûté trouvera un bon de réduction pour un article dans presque toutes les catégories de produits. Je pense qu'on est en train de créer un groupe très large de consommateurs fidèles aux bons de réduction et non aux marques[59]. »

Plusieurs entreprises, incluant Coca-Cola, Goodyear, Kellogg's, General Mills, Frito-Lay, Kraft, R. J. Reynolds et Procter & Gamble, réalisent que les promotions ne sont pas la solution à tous les problèmes.

Au Québec, les dirigeants des Aliments Delisle ont décidé de mettre fin à leur politique de ventes promotionnelles. Ces promotions à répétition avaient donné naissance à des consommateurs fidèles exclusivement au prix. Maxwell House est une autre entreprise dont l'image a été ternie à la suite d'abus de promotion et d'une diminution de 17,5 millions de dollars d'investissement en publicité.

Les responsables de la mise en marché chez Minute Maid connurent une année difficile quand la presque totalité des investissements en marketing allèrent à la promotion. Pendant ce temps, Tropicana, le plus proche compétiteur, augmentait son budget publicitaire de 30 millions de dollars. Même McDonald's éprouva des problèmes lorsque sa promotion « Scrabble » ne fut pas à la hauteur des prévisions de la firme.

En résumé, la promotion est utile dans les tactiques à court terme, tandis que la publicité est un engagement à plus long terme. Le magazine *Advertising Age* indique que 65 % des dollars investis en marketing vont à la promotion, aux relations publiques, au publipostage et à la commandite.

Selon les études, les ventes à long terme commencent à diminuer lorsque le ratio publicité/promotion est inférieur à 60/40. On sait que la publicité influence l'image d'un produit et les attitudes de consommation à long terme. Un juste partage des budgets entre la publicité et la promotion est donc une recette efficace.

Dans une entreprise gagnante comme IKEA, la règle veut que 65 % du budget de marketing soit alloué à la publicité d'images, 25 % à la promotion et le reste à la publicité radiophonique et extérieure.

FLASH INFO

LA PROMOTION PAR L'OBJET

Les objets promotionnels ont un grand avantage : ils sont abordables, ils ajoutent à la portée des autres médias et peuvent être dirigés vers des audiences spécifiques.

Dans les années 90, les objets promotionnels les plus populaires étaient le t-shirt, la casquette, les accessoires de bureau et les tasses.

Selon les études, 40 % des gens qui reçoivent un objet promotionnel sont capables de nommer l'annonceur après six mois. En outre, 31 % des gens utilisent l'objet dans l'année qui suit sa réception [60].

LA COMMANDITE

Depuis quelques années, la commandite est un autre phénomène de communication qui a pris un essor considérable. Selon le magazine *Brandweek,* les dépenses en commandite s'élevaient à 37,8 milliards de dollars dans le monde en 2004 [61]. Ce montant devrait atteindre 50 milliards en 2006.

En commanditant un événement culturel ou sportif, les entreprises augmentent leur visibilité et leur capital de sympathie auprès du public.

Les effets de la commandite sont nombreux et parfois spectaculaires. Après avoir commandité la tournée québécoise des Rolling Stones, les ventes de Budweiser ont augmenté de façon importante au Québec. Depuis, toute la stratégie de Bud tourne autour du message « Bud, coulée dans le rock ! »

Lors de la première diffusion de l'émission *Star Académie*, en 2003, les commandites de Toyota et de Maybelline ont fait sonner la caisse enregistreuse. Les étagères de produits Maybelline ont été attaquées par des consommatrices déchaînées. La commandite de Maybelline reposait sur les panneaux d'ouverture et de fermeture, un site Web de *Star Académie*, un concours et des séances de signature avec les candidats éliminés.

La commandite sportive représente environ deux tiers des investissements totaux en commandite, le reste se partageant à peu près également entre la musique, les festivals et les foires commerciales, les causes humanitaires et les arts[62].

Le montant d'une commandite aux Jeux olympiques d'Athènes s'élevait à 50 millions de dollars américains en 2004. Une recherche de Decima Research réalisée durant les Olympiques confirme la force de ce moyen de communication :

- 59 % des répondants sont plus susceptibles de se procurer le produit des commanditaires ;

- 74 % ont une meilleure image du commanditaire ;

- 76 % pensent que le commanditaire est le leader dans son secteur d'activité[63].

Le marketing sportif est unique. Les amateurs de sports suivent leur club avec passion. Une étude de Performance Research indique que 80 % des gens sont à l'aise avec les joueurs portant des logos sur leurs vêtements[64]. Mieux encore, près de 50 % des amateurs de golf et 25 % des amateurs de tennis sondés affirment qu'ils essaient d'acheter des produits ou des services d'entreprises commanditaires.

En 2002, Bell a acheté les droits du nom du Centre Molson en payant 100 millions de dollars sur 20 ans. En plus d'avoir son nom sur la façade de l'édifice, on retrouve le nom de Bell à plus de 1 000 endroits à l'intérieur de l'édifice. Cette association avec les Canadiens permet à Bell de profiter du capital de sympathie du Tricolore et de positionner Bell comme un leader dans son domaine. Pendant un match de hockey, on estime que le logo ou le nom de Bell est vu ou entendu à 250 reprises.

Lors de la Coupe du monde de soccer de 2002, les 15 commanditaires majeurs ont payé jusqu'à 25 millions de dollars américains pour s'associer à la grande fête du football. Au total, près de 1,5 milliard de téléspectateurs ont regardé les matchs de la Coupe du monde de la FIFA. Une étude conduite par Frankel & Co. indique que 59 % des gens remarquent le nom des commanditaires durant une manifestation sportive, et que 54 % ont une attitude plus favorable à l'égard des commanditaires[65].

Qu'elle soit sportive ou autre, l'abc de la commandite efficace se résume à quelques principes simples. Parmi ceux-ci, trois règles incontournables : 1) ciblez ; 2) associez-vous longtemps à un événement ; et 3) préparez-vous à investir au moins un dollar en publicité pour chaque dollar investi en commandite[66].

Lorsque Nextel est devenue le principal commanditaire du championnat de Nascar en 2003, elle a signé une entente de 10 ans. Elle remplace Winston, qui était associée à Nascar depuis 1971. Winston avait donné son nom au trophée remis chaque année au champion coureur. La série Nascar est le deuxième sport professionnel le plus regardé à la télévision américaine après le football de la NFL.

En raison des coûts de plus en plus élevés des commandites — prix moyen de 825 000 $ en 2004 —, peu d'entreprises peuvent s'associer à des événements d'envergure. Un nouveau phénomène appelé *ambush marketing* a donc fait son apparition.

L'*ambush marketing* (marketing d'embuscade) est une stratégie utilisée par les entreprises qui ne détiennent pas les droits d'une commandite. La stratégie consiste à s'associer indirectement à l'événement.

En faisant du marketing d'embuscade, l'entreprise fautive crée de la confusion dans l'esprit des consommateurs. Cela permet aussi de bénéficier indirectement des retombées positives qu'engendre la commandite. Le commanditaire officiel se voit ainsi contraint de partager sa visibilité. Plusieurs entreprises ont recours au marketing d'embuscade :

- Pendant les Jeux olympiques de 1984, Kodak a commandité l'équipe américaine d'athlétisme. Pourtant, c'est Fuji qui était le commanditaire officiel des Jeux.

- Durant les Jeux olympiques d'hiver de 1988, Wendy's distribua des affiches montrant des scènes de sports d'hiver. À peu près au même moment, McDonald's investissait des sommes considérables à titre de commanditaire officiel.

- En 1990, Coca-Cola était commanditaire officiel de la Coupe du monde. Pour mettre des bâtons dans les roues de Coca-Cola, Pepsi décida de devenir le commanditaire de l'équipe du Brésil.

- Durant les Jeux olympiques de 1992, le fabricant de chaussures sportives Reebok était un commanditaire officiel. Or, la publicité de son principal concurrent, Nike, utilisait six joueurs de l'équipe nationale de basket-ball des États-Unis pour annoncer ses produits. Ce faisant, Nike bénéficiait d'une partie du prestige associé aux entreprises liées directement aux Jeux olympiques, et ce, sans avoir à débourser une somme importante d'argent.

●——— **FLASH** INFO ———●

LA VISIBILITÉ DES COMMANDITAIRES

En s'associant à un événement, les commanditaires cherchent à maximiser les éléments suivants :

• Exclusivité d'association

• Droit de se présenter comme le commanditaire officiel

• Droit d'utiliser le nom, le logo et l'image de l'événement

• Premier droit de refus comme annonceur lors de la retransmission télévisée

• Visibilité sur le site de l'événement

• Visibilité sur le matériel publicitaire et promotionnel

• Visibilité sur les produits dérivés

• Occasion d'actions de relations publiques

• Possibilité de faire de l'échantillonnage de produits

• Billets pour l'événement, etc.

Les critères permettant d'évaluer la commandite sont nombreux : nombre de visiteurs, visibilité sur les lieux de l'événement et sur le matériel publicitaire, image de l'événement, potentiel commercial, couverture par les médias, mentions des commanditaires et présence de la télévision.

●————————————————————●

La commandite peut se faire plus subtile. Dès le début de l'opération Bouclier du désert en 1991, les militaires de la Coalition reçurent gratuitement 60 000 caisses de Coke et de Pepsi, 10 000 cartouches de cigarettes Marlboro, 5 000 baladeurs Sony et 60 000 cassettes PolyGram. Selon le magazine *Mother Jones,* chaque exposition de ces produits dans les reportages télévisés équivalait à un investissement de 250 000 dollars américains[67].

LE PLACEMENT DE PRODUIT

Depuis quelques années, les annonceurs insèrent leur produit à l'intérieur de films et d'émissions de télévision. Cette technique appelée « placement de produit » permet de bâtir la notoriété de votre marque, de rejoindre un auditoire captif, d'éviter le zappage et de façonner l'image de votre produit.

Selon un sondage Léger Marketing, 51 % des gens trouvent que le placement de produit est acceptable[68]. En comparaison, 42 % des gens sont d'accord avec la publicité avant les films.

Le placement de produit est devenu une mode en communication. On évalue que les grands studios de cinéma aux États-Unis génèrent plus de un milliard de dollars par année en revenus de placement[69].

Au cinéma, le placement de produit a débuté avec le film *E.T.* Dans une scène clé du film, un jeune garçon tente d'établir le contact avec un extraterrestre. Pour ce faire, il utilise des bonbons Reese's Pieces. En un rien de temps, les ventes de cette friandise ont augmenté de 66 %.

Plus récemment, plus du quart du film *Minority Report* a été financé à l'aide du placement de produit. Tour à tour, des marques comme Nokia, Lexus et Gap étaient utilisées par le comédien Tom Cruise. Des années auparavant, l'acteur avait confirmé le pouvoir vendeur du placement de produit. Il avait fait augmenter de 80 % les ventes de verres fumés Oakley après les avoir portés dans *Mission: Impossible II.*

En 2000, le film *Cast Away* consacrait ses 30 premières minutes à faire la promotion de FedEx. Dès les premiers instants, on voyait le logo violet et orangé de la firme, de nombreux camions, des colis et quelques avions FedEx. Par la suite, on découvrait la vedette du long-métrage : un cadre de FedEx interprété par Tom Hanks. Même le vrai président de la compagnie apparaissait à la fin du film !

En 2003, les réalisateurs du film *The Matrix Reloaded* ont choisi une voiture concept pour participer au film. Pendant 15 minutes, on voit une Cadillac dans une poursuite sur une autouroute de 2,4 kilomètres. Cette visibilité a permis au fabricant de voitures de rejoindre une cible plus jeune.

Dans le film *Die Another Day,* on comptait plus de 20 marques. Les spectateurs québécois ont remarqué la présence de nombreuses motoneiges Bombardier. À l'occasion du 40e anniversaire de la série James Bond, Bombardier a lancé une motoneige James Bond. Précédemment, la firme québécoise avait utilisé le placement de produit pour faire la promotion de ses motos marines dans l'émission *Baywatch.*

Durant la saison 2002 de la Ligue nationale de football, *Info Presse Communications* raconte que le commentateur John Madden a utilisé à maintes reprises le jeu vidéo Madden 2003 durant les retransmissions du *Monday Night Football*[70]. Au lieu de montrer des reprises vidéo des jeux clés, Madden utilisait le jeu qui porte son nom pour illustrer ses propos. Madden rejoignait ainsi 10 millions de téléspectateurs chaque semaine.

Au Québec, le placement de produit a fait son apparition dans la série *Lance et compte.* À l'époque, la vedette du National, Pierre Lambert, faisait chaque semaine son plein d'essence chez Ultramar. La pétrolière avait payé 700 000 $ pour commanditer 12 émissions. À la suite de ce placement, la notoriété et le capital de sympathie d'Ultramar explosèrent.

Si vous faites du placement de produit, tenez compte du positionnement du film et de son public. Évitez de mettre votre produit dans les mains d'un personnage méchant. Enfin, soyez subtil. Quand le cinéphile voit John Travolta boire un Coke Diète à plus de trois reprises dans le film *Drame familial,* il sursaute. En mettant la puce à l'oreille du cinéphile, vous mettez ses mécanismes de défense en marche. Cela diminue l'efficacité de votre investissement.

FLASH INFO

LE ZAPPAGE TÉLÉ

Avec l'arrivée de la télécommande, les téléspectateurs ont pris une mauvaise habitude : durant les émissions ou pendant les pauses commerciales, ils changent de chaîne à l'aide de leur télécommande. Ils zappent. L'impact du zappage varie selon les études. Selon ACNielsen, de 3 % à 5,2 % des commerciaux sont sautés. De son côté, Information Ressources parle de 10 %, tandis que Television Audience Assessment l'évalue à 39 %. Dans un article publié dans le magazine *Info Presse Communications,* Alain Desormiers et Nathalie Marcil indiquent que 61 % des auditeurs ne demeurent pas à l'écoute pendant les pauses publicitaires[71]. Par ailleurs, une personne sur deux pratiquerait le zappage.

Ce sont les émissions en soirée, les émissions de 30 minutes, les émissions présentées le samedi matin et les émissions sportives de fin de semaine qui sont les plus susceptibles d'être zappées. Les jeunes zappent davantage que les gens plus âgés ; les messages les plus évités sont ceux concernant les analgésiques, les produits d'hygiène corporelle et les déodorants. Les annonces les moins zappées sont celles concernant les ordinateurs, la gomme à mâcher et la bière légère. Enfin, la recherche indique que la majorité du zappage se produit en début et en fin d'émission.

Chapitre 6

Quels caractères typographiques choisir pour votre publicité

Les caractères typographiques que vous utilisez peuvent annuler ou renforcer le sens de votre texte.

Les caractères typographiques, comme les êtres humains, ont une *personnalité*. Certains sont masculins, d'autres féminins. Certains dénotent le prestige, d'autres évoquent la lourdeur, le bonheur, une bonne affaire, la tradition ou encore le modernisme.

D'après le publicitaire Robert Guérin, « la typographie est au texte écrit ce que l'intonation, le volume, le timbre de la voix sont au texte parlé[1] ». C'est pourquoi les caractères choisis pour composer votre texte doivent correspondre à la personnalité de votre texte.

Choisir des caractères n'est pas une mince tâche. Les caractères gras suggèrent la force. Ceux qui sont penchés vers la droite sont dynamiques. Ceux penchés vers la gauche sont pleins de retenue. Les

lettres élancées créent l'idée d'élévation tandis que les caractères maigres donnent une impression de distinction, de délicatesse et de
noblesse. Les lettres manuelles sont énergiques. Elles ont un caractère
sensationnel, voire impératif.

◆ *Cette publicité de McDonald's est un bon exemple de typographie qui contribue à rehausser la
portée du message.*

La personnalité d'un caractère typographique dépend de l'œil
du caractère, de son axe, de sa graisse, du contraste entre les jambages
pleins et les déliés, et de son empattement.

- L'*œil*, c'est la partie imprimable du caractère, celle qui lui
  donne du relief. On l'envisage comme une forme. Il y a des
  caractères qui, dans un même corps, présentent des dessins
  de différentes grandeurs : on dit alors que le caractère a
  plusieurs œils (petit, moyen, gros).

- L'*axe* concerne l'orientation que prend le caractère : est-il
  droit, penche-t-il vers la gauche ou vers la droite ?

- La *graisse,* c'est la qualité du trait : maigre, demi-gras, gras, extra gras.

- Le *contraste entre les jambages pleins et les déliés* d'un caractère est la trace distinctive visible, surtout dans les courbes.

- L'*empattement* indique la façon dont les traits s'arrêtent sur la ligne de base du caractère. On distingue généralement quatre grandes familles de caractères caractérisées par la forme de l'empattement[2].

L'antique est un caractère sans empattement. Relevé sur les inscriptions phéniciennes, il apparaît pour la première fois en Angleterre en 1816. Il est redessiné en 1927 par le sculpteur anglais Eric Gill, puis par des dessinateurs allemands, en particulier Renner et Erbar. L'antique a une allure moderne, mais sa lecture est fatigante. Il suggère une certaine froideur. Il convient principalement aux titres. On les appelle aussi Simplices.

L'égyptienne est un caractère à empattement rectangulaire relevé sur les inscriptions grecques. Il est employé pour la première fois en 1815 par Figgins, puis par Thorne en 1820. Séduisant, engageant et tranchant, il a une lourdeur propre à la publicité. On les appelle aussi Emparectes.

Le didot est un caractère dont l'empattement se termine par un trait perpendiculaire filiforme. Il a été mis au point par F.-A. Didot et imité par Bodoni au XVIIIe siècle. Son alternance de traits gras et maigres marqués lui donne un aspect un peu strict et austère, voire snob. C'est avant tout un caractère rationnel, logique et sévère qui sert à annoncer les grands événements. On les appelle aussi Filextres.

A L'elzévir est un caractère dont l'empattement se termine en écrasement triangulaire. La structure de la lettre rappelle le tracé calligraphique. Relevé sur les inscriptions romaines, il est réalisé en types mobiles à la fin du XVe siècle par Nicolas Jenson, puis par Alde Manuce et Garamond. D'une grande beauté, il est synonyme de culture, de raffinement, de distinction et de noblesse. Ils sont parfaits pour les textes. On les appelle aussi Claviennes.

FLASH INFO

LE RÔLE DES CARACTÈRES TYPOGRAPHIQUES…

EN AFFICHAGE

Pour la plupart des médias extérieurs, la circulation automobile constitue la partie principale de l'auditoire. Pour cette raison, la lisibilité de votre publicité est un élément clé du succès de votre panneau-réclame.

Selon le publicitaire québécois Michel Laprise : « Il est [...] important de savoir qu'une affiche doit être vue pendant au moins six à huit secondes pour être efficace. C'est une norme reconnue en affichage. À 80 km/h, on doit apercevoir un panneau sur une distance d'au moins 100 mètres. À 40 km/h, dans une zone plus urbaine, il faut le voir sur au moins 30 mètres, sinon l'affiche ne peut pas être efficace. Il ne faut jamais oublier que la priorité des automobilistes, lorsqu'ils conduisent, n'est pas de chercher ou de lire les panneaux[3] ! »

DANS LES MÉDIAS IMPRIMÉS ET SUR INTERNET

La règle est simple : utilisez des caractères classiques.

COMMENT CHOISIR UN CARACTÈRE TYPOGRAPHIQUE

Tout caractère typographique devrait être choisi en fonction de la nature du produit, du type d'acheteurs visé, de la longueur du texte de l'annonce, de son format, de la nature de son illustration, de l'argument de vente principal, du genre de quotidien ou de périodique utilisé, des caractères à la mode et, plus que tout, de sa lisibilité. Cette lisibilité dépend de sept facteurs :

1. La simplicité des caractères

On lira plus volontiers votre texte s'il est imprimé avec des caractères que les gens ont l'habitude de lire dans les magazines, les journaux, les livres, les brochures et la publicité : les caractères Century, Caslon, Times, Baskerville, Jenson, Futura, Franklin Gothic, Bembo, Garamond et Goudy.

2. L'orientation des caractères

Utilisez le plus souvent possible des caractères orientés horizontalement. Les caractères imprimés en spirale, en courbe ou même en diagonale sont difficiles à lire et n'attirent pas le lecteur.

Dans une étude réalisée il y a quelques années, Daniel Starch a comparé deux annonces pour Lucky Strike[4]. Dans un cas, le titre était imprimé de biais. Dans l'autre, le titre était imprimé horizontalement. La reconnaissance a donné des résultats semblables, mais le score de lecture fut meilleur pour les caractères imprimés à l'horizontale.

◆ *Si vous voulez réduire le taux de lecture, imprimez votre texte en diagonale, en spirale ou à la verticale.*

3. La dimension des caractères

Votre texte devrait idéalement être imprimé en 11 points. Si des caractères plus grands provoquent une sorte de malaise, des caractères plus petits augmentent inutilement la difficulté de lecture [5]. La lisibilité d'un texte est définitivement freinée quand votre texte est imprimé avec des caractères de huit points et moins. Après avoir filmé des lecteurs devant un texte imprimé en corps six points, Miles A. Tinker et Donald G. Paterson ont constaté « davantage de fixation et de régression » et une « augmentation significative de temps par épisode de fixation [6] ».

Quand votre texte contient plus de 250 mots, c'est une bonne idée de commencer votre texte par une lettrine. Le publicitaire français Régis Hauser rapporte que « la lettrine est un caractère d'imprimerie disproportionné qui a l'avantage miraculeux d'attirer le regard et de stimuler la lecture [7] ». La lettrine donne aussi de la classe et du panache à votre texte, donc à votre produit.

4. La couleur des caractères

Il est fortement recommandé d'imprimer vos textes en noir sur fond blanc ou, à la rigueur, en lettres foncées sur fond clair. Selon Paterson et Tinker [8], les rapports chromatiques les plus lisibles par ordre décroissant de vitesse de lecture sont les suivants :

1. Le noir sur blanc
2. Le vert sur blanc
3. Le bleu sur blanc
4. Le noir sur jaune
5. Le rouge sur jaune
6. Le rouge sur blanc
7. Le vert sur rouge
8. L'orange sur noir
9. L'orange sur blanc
10. Le rouge sur vert
11. Le noir sur violet

◆ *À l'instar des caractères typographiques, les logos ont une per-sonnalité, comme en témoignent ces signatures corporatives de Kmart et Provigo.*

Conduisant des recherches similaires, Matthew Luckiesh a obtenu des résultats quelque peu différents[9]. Il a découvert que les combinaisons de couleurs les plus visibles étaient, par ordre décroissant :

1. Le noir sur jaune
2. Le vert sur blanc
3. Le rouge sur blanc
4. Le bleu sur blanc
5. Le blanc sur bleu
6. Le noir sur blanc
7. Le jaune sur noir
8. Le blanc sur rouge
9. Le blanc sur vert
10. Le blanc sur noir
11. Le rouge sur jaune
12. Le vert sur rouge
13. Le rouge sur vert

Par ailleurs, il est fortement déconseillé d'imprimer votre texte en caractères blancs sur fond gris ou sur fond noir. Un texte imprimé en caractères noirs sur fond blanc est lu 42 % plus rapidement qu'un texte imprimé en caractères blancs sur fond gris[10]. Par ailleurs, 77,7 % des lecteurs pensent qu'ils lisent un texte noir sur fond blanc plus rapidement qu'un texte blanc sur fond noir[11]. Cela étant dit, il semble que les titres imprimés en impression inversée obtiennent des taux de lecture comparables à ceux imprimés en noir sur fond blanc.

Vous augmentez vos chances d'être lu si vous laissez de côté les caractères trop gras, trop fins, trop pâles ou trop foncés. Vous devez également éviter d'imprimer du texte sur des images. Tout montage graphique qui contrarie la perception fond/forme réalise des scores de lecture inférieurs à la moyenne.

◆ *À gauche : le logo de la chaîne de restaurants Normandin (lettrage rouge sur fond noir).*
À droite : une version revue et corrigée (logo rouge sur fond blanc). La lisibilité est supérieure.

5. La force des caractères

Pour mettre en évidence un mot ou un groupe de mots, vous pouvez recourir à diverses techniques graphiques :

1. Vous pouvez utiliser l'*italique.*

2. Vous pouvez composer en MAJUSCULES.

3. Vous pouvez composer en caractères **gras.**

4. Vous pouvez imprimer en couleurs.

5. Vous pouvez <u>souligner.</u>

6. Vous pouvez encadrer.

7. Vous pouvez encercler.

8. Vous pouvez écrire à la main.

9. Vous pouvez marquer au surligneur.

◆ *En imprimant votre titre en jaune sur noir, vous augmentez sa visibilité.*

Je vous conseille de ne pas imprimer tout votre texte en italique. D'après le spécialiste de la lisibilité typographique Miles Albert Tinker, un texte composé intégralement en italique ralentit la lecture de 15 mots par minute [12]. Selon le même chercheur, 96 % des sujets testés pensent qu'ils lisent un texte en italique plus lentement qu'un texte en caractères standards.

Évitez d'imprimer tout votre texte en majuscules. Un texte imprimé en lettres majuscules est lu plus lentement qu'un texte imprimé en minuscules, le ralentissement étant de l'ordre de 18,9 % [13].

6. La mise en pages

Attention à l'espace entre les mots. Les mots et les lettres trop rapprochés ou trop éloignés compliquent inutilement la lecture. Par ailleurs, un interlignage serré gêne la lecture lorsque les lignes de texte sont très courtes ou très longues. Idéalement, ne dépassez pas 40 frappes par ligne.

Les colonnes de texte de 20 caractères et moins par ligne bloquent les mécanismes de la pensée. Celles de 120 caractères et plus rebutent le lecteur. Présentez donc votre texte en colonne de 35 à 55 caractères de large pour éviter des problèmes.

7. L'harmonie des caractères

En règle générale, une publicité imprimée ne devrait pas comporter plus de deux genres de caractères et certainement pas plus de trois. Une publicité comportant trop de caractères différents oblige l'œil à de nombreuses accommodations. Cela a pour effet de repousser le lecteur.

Malgré toutes les évidences scientifiques, certains publicitaires amateurs continuent de penser que n'importe quel caractère peut faire l'affaire. Mais les experts en lisibilité savent que ce n'est pas le cas.

Selon Claude Raymond Haas : « Tout ce qui peut contribuer à accélérer la lecture en la rendant plus facile contribue à retenir le lecteur sur le texte ; tout ce qui ralentit la lecture en la rendant plus difficile contribue à repousser le lecteur, à l'inciter à ne pas lire [14]. »

Pour en savoir davantage sur les caractères typographiques, lisez le chapitre intitulé « Typography - Tool of the Art Director » contenu dans le livre *Advertising Layout and Art Direction,* de Stephen Baker.

Chapitre 7

Quels types de mises en pages sont les plus efficaces

En publicité, une mise en pages claire et simple attirera le lecteur vers votre annonce, tandis qu'une mise en pages surchargée le repoussera.

Helmut Krone, qui a été directeur artistique chez Doyle Dane Bernbach, dit : « Quand vous n'êtes pas simple et élémentaire avec les gens, vous êtes en danger[1]. »

Quand vous faites ressembler vos publicités à des affiches miniatures, vous augmentez le taux d'attention et de lecture de votre annonce.

Plus votre image est grande, plus votre publicité attirera l'attention, plus votre texte sera lu et plus on se souviendra de votre message publicitaire. D'après Starch, les publicités qui obtiennent les meilleurs rendements contiennent une image qui occupe au moins la moitié de l'espace. En revanche, le texte de la publicité efficace occupera rarement plus de 30 % de la surface du message.

Attention aux publicités qui contiennent trop d'images Si vous utilisez plus d'une image, assurez-vous qu'une photo domine les autres.

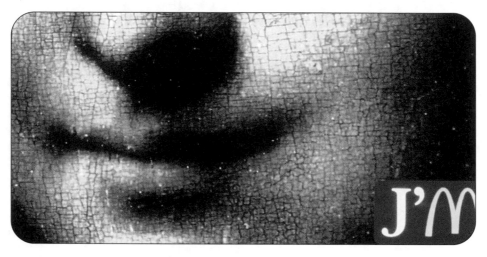

◆ *Les publicités les plus efficaces sont les plus simples. Ce concept publicitaire de McDonald's est un bijou d'efficacité. La mise en pages est élémentaire et laisse toute la place au message et à la marque.*

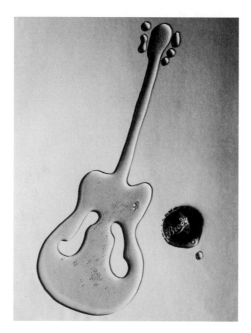

◆ *Plus la mise en pages est aérée, plus la publicité attire l'attention.*

Soyez constant. Utilisez sensiblement le même format, le même emplacement, le même type de caractères typographiques et, bien sûr, le même genre de mise en pages.

On s'est aperçu que les textes longs sont lus par plus de personnes si on prend soin de les décorer de petites images.

Certaines personnes pensent que les marges, les blancs et les interlignes entre les paragraphes sont des pertes d'espace. Ne les écoutez pas ! Les mises en pages aérées permettent la mise en valeur de vos titres, de vos textes et de vos images. Ils facilitent la lecture de votre texte.

Selon le publicitaire John Lyons, « les espaces blancs sont l'un des outils les plus efficaces du directeur artistique. Ils permettent de mettre du relief et d'inviter le lecteur à se lancer dans le texte ».

Chaque fois que cela est possible, exploitez les sections spécialisées comme le sport, l'automobile, la mode, l'alimentation ou la santé. Les cahiers spéciaux permettent aux annonceurs de combiner les avantages d'un magazine spécialisé et d'un journal : ils rejoignent à la fois une clientèle locale et un public ciblé.

À l'exception de la une, chaque rubrique spécialisée attire une clientèle particulière. Si vous vendez une croisière, il est recommandé d'annoncer dans la section « Voyages ». Vous augmentez ainsi vos chances de rejoindre votre client potentiel. Les cahiers spéciaux sont une bonne façon d'attirer les lecteurs et de vendre vos produits dans un environnement taillé sur mesure. Quelquefois, ils sont conservés pour être consultés ultérieurement, un peu comme les magazines.

Si vous recourez à la publicité dans des cahiers spéciaux, occupez un espace plus important que la moyenne. Les cahiers spéciaux rassemblent normalement la majorité de vos compétiteurs. En conséquence, il devient impératif de frapper un grand coup.

◆ *C'est une bonne idée de jouer le blanc dans votre mise en pages. En plus d'attirer le regard, le blanc facilite la lecture.*

Si vous annoncez un produit alimentaire, il vaut mieux inclure une recette. Marion Harper, qui a été à l'origine du Groupe Interpublic, a constaté que les publicités qui offrent des recettes sont lues par environ 220 % plus de lecteurs que celles qui n'en contiennent pas[2].

Chaque fois que vous avez un certain nombre de faits à exposer, utilisez des en-têtes numérotés de préférence aux sphères, aux pastilles et aux autres signes dans la marge. En plus de faciliter la compréhension de votre message, les en-têtes numérotés donnent l'impression que vous avez quelque chose d'important à dire. Ils tirent parti de ce penchant qu'a l'esprit de « dresser des listes » quand il tente de faire face à la complexité.

FLASH MÉDIA

LE RÔLE DE LA MISE EN PAGES...

EN AFFICHAGE

Contrairement à la publicité imprimée, la taille n'est pas toujours l'élément le plus important en affichage. En fait, au moins une étude a montré que l'emplacement et le design sont les deux éléments clés en affichage[3].

Placez votre logo en bas, à droite. Selon Viacom, « le placement d'un logo dans le coin droit inférieur d'un panneau-réclame s'avère très efficace[4] ». En effet, l'œil a tendance à explorer une surface de gauche à droite, et du haut vers le bas. C'est ce qu'on appelle communément la lecture en « Z ». En mettant votre logo en bas, à droite, celui-ci est le dernier élément visible et perçu.

DANS LE MAGAZINE

En publicité de magazine, les mises en pages verticales (photos en haut et texte sous l'image) font souvent des merveilles. Dans une étude réalisée il y a quelques années, le publicitaire américain Mills Shepherd a constaté que 35 des 36 publicités de magazines les plus lues utilisaient une mise en pages verticale[5].

DANS LE QUOTIDIEN

Chaque fois que cela est possible, exploitez les sections. Dans certains cas, sortez des sentiers battus. Achetez des îlots centraux dans les pages de la Bourse ou des oreilles sur les premières pages de section.

DANS L'HEBDOMADAIRE

Les annonceurs dans les hebdomadaires ont souvent tendance à en mettre beaucoup dans leur publicité. Ils pensent que plus ils en disent, plus ils seront convaincants. C'est l'inverse. Plus votre publicité est aérée, plus elle sera efficace.

SUR INTERNET

Fuyez les fenêtres-pubs (*pop-up*) et évitez les formats traditionnels. Le site Ask Jeeves a éliminé coup sur coup les *pop-up* et les bandeaux traditionnels de son site. Par ailleurs, exploitez les contenus rédactionnels. Les Américains appellent ce phénomène *Contextual Ads.* Par exemple, si un site fait paraître un article sur une attaque de virus, accolez-y une publicité de logiciel antivirus. Trois entreprises offrent ce service: Overture Services, Google et Primedia.

◆ *Le panneau-réclame transformé attire l'attention d'une manière forte et rapide. Son efficacité est immédiate et les résultats se font très vite sentir.*

7 GENRES DE MISES EN PAGES EFFICACES

La mise en pages d'une publicité vise à augmenter la valeur d'attention de votre message. Idéalement, elle facilite la lecture de votre publicité. En fonction de vos besoins particuliers, voici sept façons d'aménager titre, texte, images et logo.

1. La classique

C'est le type de mise en pages le plus populaire. Le visuel occupe jusqu'à deux tiers de l'espace. Il est accompagné par un titre monté sur une seule ligne et un texte divisé sur deux ou trois colonnes.

Si vous utilisez ce genre de mise en pages, privilégiez les mises en pages verticales — photos en haut, titre sous l'image et texte sous le titre. En effet, les mises en pages horizontales — photos d'un côté, texte de l'autre — sont à éviter. En publicité, on est conditionné à voir du texte sous une image. Si on voit du texte à gauche ou à droite d'une photo, on ne le lit pas.

Il y a quelques années, les responsables de la publicité des savons Dove passèrent d'une mise en pages verticale à une mise en pages horizontale. Le taux de lecture chuta de près de 50 %[6].

2. Le titre

Ce style de mise en pages met l'accent sur le titre. Celui-ci attire l'attention. On le retrouve souvent dans la publicité des compagnies aériennes, celle des banques, des ordinateurs et des compagnies d'assurances.

3. Le texte

Quand votre concept donne préséance au texte, ce type de mise en pages est conseillé. L'image occupe un espace réduit. Pour sa part, le titre occupe une ou deux lignes.

4. Circus

Malgré les apparences, ce genre de mise en pages est organisé et vise à générer l'excitation. Plusieurs petits éléments se combinent pour créer un tout homogène.

5. L'encadré

À l'instar d'un tableau encadré, ce genre de mise en pages fait en sorte que le texte est entièrement entouré d'éléments graphiques. Il est utilisé fréquemment dans la publicité pour les produits de mode et les bijoux.

6. La silhouette

Dans ce cas-ci, le texte entoure littéralement le produit ou l'objet. Il suit ses contours et l'enveloppe. Il est employé dans les publicités d'alcool et de cosmétiques.

7. La mise en pages couleur

Elle prend la forme d'une publicité double page. Elle est dominée par une image. La publicité est en couleur et elle établit un contraste qui permet d'attirer l'attention. On s'en sert dans la publicité automobile.

◆ *Si vous employez une mise en pages horizontale, placez votre image à gauche, votre titre en haut, à droite, et votre logo en bas, à droite.*

◆ *Les mises en pages qui simulent le mouvement attirent toujours l'attention.*

LA TAILLE ET LE FORMAT

La taille d'une annonce constitue un élément important du rendement publicitaire. Plus vous utiliserez un format de grande taille, plus votre publicité attirera l'attention[7].

Dans une étude publiée dans la revue *Journal of Advertising Research,* Verling Troldahl et Robert Jones ont fait l'analyse de quatre facteurs (taille de l'annonce, type de produit annoncé, ratio texte-illustration et nombre de points abordés dans le texte publicitaire) et leur incidence sur le taux de lecture d'une publicité. Ils ont découvert que la dimension d'une publicité compte pour 40 % du total de lecture du message[8]. En comparaison, le type de produit ne compte que pour 19 %. Enfin, 39 % sont attirés par le côté artistique de l'annonce.

◆ *Lorsque nos yeux regardent une publicité, ils ont tendance à balayer l'annonce en « Z ». Cette publicité du Club Med utilise une mise en pages en Z : titre en haut, à gauche, image au centre, et logo en bas, à droite.*

Il existe un rapport entre la taille de votre annonce et sa valeur d'attention. Les doubles pages retiennent davantage l'attention du lecteur que les simples pages qui, à leur tour, attirent davantage l'attention que des annonces d'une demi-page. Toutefois, c'est une erreur de croire que le pouvoir de retenir l'attention croît proportionnellement avec la surface qu'occupe votre publicité [9].

Les enquêtes touchant la publicité dans les journaux et les périodiques ont conduit à la découverte de la loi de la « racine carrée » en publicité, selon laquelle plutôt que de croître avec la dimension d'une annonce, l'attention n'augmente qu'avec la racine carrée de celle-ci [10]. En d'autres termes, vous devez quadrupler la dimension d'une annonce pour doubler sa valeur d'attention.

Même si elles coûtent deux fois plus cher, les annonces doubles pages sont à conseiller. Dans les magazines grand public, elles génèrent des taux d'attention et de lecture 25 % plus élevés que les simples pages [11]. Dans les magazines industriels, les publicités doubles pages génèrent un taux de lecture 37 % plus élevé que les simples pages [12]. Selon Gallup & Robinson, elles donnent de l'importance et du prestige à votre produit.

Le format d'une revue n'influence pas le rendement publicitaire. Le chercheur Lawrence Ulin a comparé le taux de lecture et de mémorisation d'une publicité d'une page publiée dans le *Reader's Digest* (petit format) avec celle d'une publicité d'une page dans le magazine *Life* (grand format) [13]. Ulin a découvert qu'il n'y avait pas de différence entre le petit format d'une page et le plus grand. En d'autres mots, la dimension d'une annonce est évaluée par le lecteur non en centimètres absolus, mais par rapport au format du magazine ou du journal où elle est insérée.

La forme d'une annonce imprimée peut influencer son rendement. Comparant une annonce d'un quart de page imprimée sur une seule colonne avec une annonce de format carré de même surface, Starch remarqua que les taux de reconnaissance et de lecture de la première annonce étaient 29 % supérieurs à ceux de l'annonce carrée [14].

Plus vous utilisez de grands espaces, plus les consommateurs penseront que votre entreprise est crédible et solide. Dans son livre *The 27 Most Common Mistakes in Advertising,* Alec Benn rappelle que les lecteurs associent la taille d'une publicité à la taille de l'annonceur [15]. Ainsi, les lecteurs tiendront pour acquis qu'une petite entreprise utilisera des annonces de petite taille, tandis qu'une plus grande entreprise optera pour des annonces de plus grande taille.

En publicité industrielle, les grands espaces sont plus payants qu'en publicité commerciale [16].

Si vous devez faire de la publicité magazine sur une double page, assurez-vous que la marge du centre ne vient pas réduire l'intelligibilité de votre titre, de votre texte et de votre illustration.

Lorsque votre annonce s'étend sur plusieurs pages, assurez-en la liaison : par la reprise de la marque à chaque page, par l'utilisation de points de suspension, par la disposition du titre sur deux pages vis-à-vis ou par l'utilisation du même fond pour les deux pages.

◆ *Souvent, les gens ont de la difficulté à identifier l'annonceur. La raison en est simple : le logo est trop petit, comme dans la publicité du haut. En bas : une version revue et corrigée.*

QUELLES SONT LES MEILLEURES POSITIONS POUR SE FAIRE REMARQUER ?

Je suis convaincu qu'un emplacement de premier choix ne sauvera pas une annonce de mauvaise qualité. Cependant, si vous avez entre les mains une campagne à succès, et si vous avez les moyens de vous payer quelques petits extras, lisez bien ceci :

1. Les annonces imprimées sur la une et les deuxième et troisième de couverture sont lues par 30 % plus de personnes que les annonces situées dans les pages intérieures [17].

2. Les annonces situées sur la quatrième de couverture (dos du magazine) obtiennent un taux de lecture 64 % plus élevé que la matière rédactionnelle située à l'intérieur du magazine [18].

3. Les annonces apparaissant dans les premiers 10 % d'une revue ont un taux de lecture 10 % plus élevé que la norme.

4. Un emplacement dans les sept premières pages d'un magazine produit un taux de réponse particulièrement élevé [19].

5. La mémorisation est meilleure pour la première partie de la revue, moins bonne pour la dernière partie. La recherche recommande d'éviter la dernière moitié d'un magazine, spécialement le dernier quart [20].

6. Une étude récente de Starch indique que les publicités positionnées dans le premier tiers d'un magazine sont remarquées par 12 % plus de lecteurs que le dernier tiers du magazine [21]. En outre, les publicités imprimées dans le premier tiers sont lues par 10 % plus de lecteurs que celles apparaissant dans le deuxième et le troisième tiers.

7. La page de couverture à rabat augmente de façon importante le taux de lecture.

8. Les pages de droite obtiennent un rendement égal aux pages de gauche. Il existe cependant une exception à cette règle : en marketing direct, Bob Stone révèle que les pages de droite entraînent jusqu'à 15 % de coupons-réponse de plus que les pages de gauche [22].

9. Le centre de la revue donne de bons résultats, surtout si celle-ci rassemble habituellement ses publicités au début ou à la fin.

10. Les annonces à fond perdu (*bleed*) obtiennent en moyenne des taux de lecture un peu plus élevés.

11. Les annonces situées dans le haut d'une page obtiennent un lectorat supérieur à celles situées dans le bas.

12. Les publicités accompagnées de recettes ou de coupons obtiennent des taux de lecture plus élevés que la moyenne [23]. Toutefois, une étude réalisée dans 15 magazines montre que les annonces contenant des concours sont moins efficaces que celles qui n'en contiennent pas [24].

13. Une page constituée d'un papier de densité différente que celui couramment utilisé dans la revue donne de bons résultats.

14. Une page d'un format plus petit que celui de la revue fonctionne bien.

15. Une simple page volante insérée dans la revue est un procédé efficace.

16. Les *pop-up* (publicité en trois dimensions qui s'élève lorsque la page d'un magazine est ouverte) et les hologrammes coûtent très cher, mais ils obtiennent des résultats fort intéressants. En 1986, Transamerica Corporation a investi 3 millions de dollars, ou 35 % de son budget total, pour un *pop-up* apparaissant dans la page centrale du magazine *Time*. Le montage de la publicité, qui parut dans les 4,6 millions d'exemplaires du célèbre magazine, occupa 560 personnes et nécessita 420 000 heures de

travail. Une enquête indiqua que 96 % des lecteurs de *Time* se rappelaient avoir vu la publicité ; 91 % avaient lu plus de la moitié de l'annonce ; et 69 % des lecteurs avaient une opinion très favorable de l'entreprise [25].

17. Les dépliants et les petits guides insérés dans les revues donnent des résultats positifs, même s'ils pénalisent les publicités adjacentes. Un spécial de 8 pages de John Hancock obtint un taux de mémorisation de 40 % ; les 20 pages de l'American Bookseller's Association, 50 % ; les 24 pages de Kmart pour faire la promotion des Jeux d'hiver, 83 %.

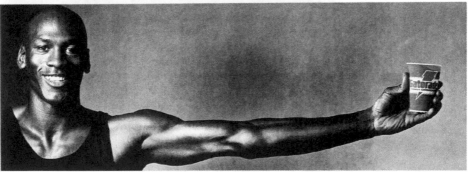

◆ *Dans un magazine, les mises en pages avec rebords ouvrants sont efficaces si les faces supplémentaires apportent un petit quelque chose à la compréhension du message. Cette publicité de Gatorade utilise à merveille les avantages de cette technique. En haut : l'image avant ouverture du rabat. En bas : l'image après ouverture.*

UNE PUBLICITÉ EN COULEUR OU
UNE PUBLICITÉ EN NOIR ET BLANC ?

Même si elles coûtent plus cher, il est fortement conseillé d'imprimer vos publicités en couleur. En effet :

1. *La publicité en couleur attire l'attention.* Une étude réalisée par Daniel Starch sur un échantillon de 23 000 messages publicitaires portant sur un certain nombre de classes de produits — alcool, tabac, automobile, nourriture et commerce de détail — a montré que, quelles que soient leurs tailles, les messages en quatre couleurs étaient nettement plus remarqués que ceux en noir et blanc ou en deux couleurs [26]. Une étude similaire réalisée sur plus de 25 000 annonces parues dans diverses revues américaines est arrivée à des résultats identiques [27]. Concrètement, les publicités pleine page en couleur obtiennent, en moyenne, des taux d'attention 45 % plus élevés que les publicités pleine page en noir et blanc [28].

2. *La publicité en couleur augmente votre taux de lecture.* Tout élément étant égal par ailleurs, l'addition d'une couleur augmente le taux de lecture de 22 %, alors que l'addition de deux et de trois couleurs l'augmente de 68 % [29]. Une étude réalisée à partir de 109 460 publicités dans des magazines spécialisés confirme les découvertes de Starch : la page en noir et blanc obtient un taux de lecture moyen de 33 %, tandis que la page pleine couleur génère un taux de lecture de 44 % [30].

3. *La publicité en couleur favorise la mémorisation.* En moyenne, les publicités imprimées en couleur sont deux fois plus mémorisées que les publicités en noir et blanc.

4. *La publicité en couleur rehausse le prestige de votre produit [31].* L'utilisation de la couleur dans les médias imprimés tend à rehausser le prestige et le statut de l'annonceur, de la marque

ou du service offert. Les consommateurs perçoivent l'utilisation de la couleur comme une démonstration de force, de puissance et de solidité[32].

5. *La publicité en couleur fait vendre.* Pour des articles à prix réduit, l'addition d'une couleur à une annonce en noir et blanc entraîne une augmentation des ventes d'environ 41 %[33]. Mieux encore, quand vous utilisez une publicité en couleur au milieu d'une campagne publicitaire qui mise sur le noir et blanc, les ventes augmentent de manière significative[34].

6. *La publicité en couleur met de la vie dans vos images*[35]. Les produits sont plus appétissants. Votre sujet apparaît plus vivant, plus attrayant, plus réel. L'utilisation de la couleur s'impose en particulier dans la publicité des produits alimentaires.

7. *La publicité en couleur met en valeur certains éléments de votre message.* Dans un journal quotidien imprimé en noir et blanc ou dans une annonce imprimée en noir et blanc, l'utilisation de la couleur augmente l'impact de votre annonce en attirant l'attention sur l'essentiel : la marque ou le produit.

8. *La publicité en couleur identifie votre marque.* Elle facilite l'identification : Seven-Up est vert, Coke est rouge, Pepsi est bleu, Hertz est jaune, Avis est rouge et National est vert. Encadrée par les couleurs caractéristiques de la marque — le jaune et le bleu —, Ultramar est immédiatement reconnue et identifiée par le lecteur.

Dans une campagne en 1998, Rona a centré sa communication publicitaire sur la couleur jaune. « Des personnages monologuaient sur les vertus du jaune, caractéristique de la nouvelle entité, raconte François Perrault, journaliste à *La Presse*. On l'associait à des valeurs comme les bas prix, la garantie, etc. La signature de cette campagne était claire : "Si c'est pas jaune, c'est pas Rona L'entrepôt."[36] »

◆ En règle générale, une image en couleur est plus efficace qu'une image en noir et blanc. Mais cela ne signifie pas automatiquement qu'une image en couleur soit meilleure. En réalité, tout dépend du but poursuivi. Quand vous cherchez à stimuler l'imaginaire, le noir et blanc est tout à fait recommandé. L'ambiance mystérieuse qui s'en dégage est naturellement vibrante. Par ailleurs, le noir et blanc peut inspirer le sérieux ou donner un cachet ancien à votre produit.

● —— FLASH INFO —— ●

L'IMPORTANCE DE LA COULEUR POUR UPS

Dans un article rédigé pour le journal *La Presse,* François Perreault rappelle l'importance de la couleur en marketing pour une entreprise comme UPS.

« Depuis 1929, le service de messagerie UPS est associé à la couleur brune que l'on retrouve sur ses camions et sur ses uniformes. Pour différencier sa marque, UPS a protégé juridiquement les droits d'utilisation de sa couleur brune. Le slogan de sa campagne actuelle pose d'ailleurs une question toute simple : « Qu'est-ce que le brun peut faire pour vous ? »

À ses premières années d'existence, UPS employait des véhicules motorisés de différentes couleurs afin de montrer l'étendue de son parc de camions. C'est en 1929 qu'ils sont tous devenus bruns.

Le brun était précédemment apparu sur les uniformes en 1916, moins de 10 ans après la fondation de l'entreprise. Cette couleur avait été retenue parce qu'elle reflétait la classe, l'élégance et le professionnalisme, mais aussi parce qu'elle rendait la poussière moins visible sur les uniformes et les véhicules.

En 1998, UPS a protégé juridiquement les droits d'utilisation commerciale de la couleur brune. Ainsi, aucun autre service de messagerie ne peut l'employer sur ses véhicules ou sur les uniformes de ses livreurs.

Aux États-Unis, UPS compte 70 966 véhicules de livraison entièrement bruns. L'entreprise a recours à 142 000 gallons de peinture pour les garder intacts. Quant à ses avions, ils nécessitent 3 424 gallons de peinture.

Il faut 1,7 million de verges de tissu brun et 175 000 milles de fil brun pour habiller les 78 000 livreurs d'UPS : 188 000 casquettes, 459 000 chandails, 303 000 pantalons et 192 000 shorts. »

Source : Perreault, François. « Les couleurs en disent long sur une marque », *La Presse,* 13 mars 2002, p. D9.

● ——————— ●

Chapitre 8

La signification des couleurs

Si vous décidez de faire de la publicité en couleur, vous devez savoir que la couleur n'est pas seulement un truc pour attirer l'attention des gens. C'est aussi une façon d'évoquer des ambiances et de jouer sur les émotions.

Vous augmentez vos chances de réussite si vous comprenez que la couleur provoque, par un effet de synesthésie, la perception suggestive d'un degré de qualité, de légèreté, de douceur, de dureté, de force, de prestige, de prix, de température, de pureté, de goût, d'odeur, de féminité ou de masculinité.

Il y a quelques années, Louis Cheskin, le directeur d'une firme spécialisée dans les études sur la couleur, a demandé à des ménagères d'essayer le détersif contenu dans trois boîtes différentes et de décider quel serait le meilleur pour laver du linge délicat[1]. La première boîte était de couleur jaune, la seconde était bleue et la troisième avait des points jaunes sur un fond bleu. Bien que les boîtes étaient remplies du même produit, les emballages ont suscité des réactions différentes chez les ménagères. Le détersif contenu dans la boîte jaune était trop fort ; il abîmait le linge. Celui de la boîte bleue était peu actif ; le linge n'était pas propre. Par contre, le détersif de la boîte bleue et jaune donnait d'excellents résultats.

Lors d'une autre enquête, on offrit à un groupe de femmes deux échantillons d'une même crème de beauté, l'une dans un pot rose et l'autre dans un pot bleu. On leur demanda de les essayer et d'identifier la plus efficace. Presque 80 % des femmes déclarèrent que la crème contenue dans le pot rose était plus douce, plus délicate et plus efficace que celle contenue dans le contenant bleu [2]. Pourtant, la composition des deux produits était identique.

Les publicitaires savent depuis longtemps qu'une couleur peut faire toute la différence entre un succès ou un échec. En fait, une bonne couleur peut augmenter les ventes de votre produit :

- Le succès des ventes des cigarettes Lucky Strike et Marlboro est dû, entre autres, à une modification des couleurs de l'emballage.

- Dans l'industrie automobile, Cooper a montré que la couleur est l'un des trois critères clés lors de l'achat d'une voiture (les deux autres étant le prix et la qualité) [3].

- Il y a plusieurs années, l'Orange Crush, boisson gazeuse à l'orange, était vendue dans une petite bouteille brun foncé. Après que la firme Jim Nash Associates eut redessiné la bouteille — la concevant plus grande, transparente et d'aspect moderne, laissant voir la couleur orange du produit, au lieu de la dissimuler comme un médicament —, le vice-président de la société productrice, A. E. Repenning, rapporte que les ventes triplèrent en un mois [4].

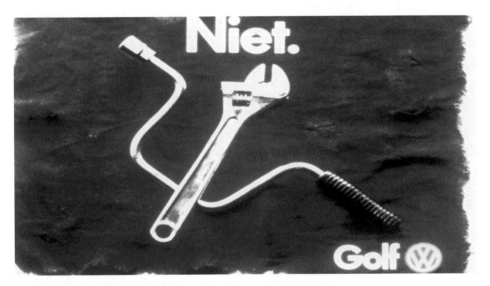

◆ *À l'instar de l'image, la couleur exerce ses effets sur le plan inconscient. Les consommateurs établissent une relation psychologique entre la couleur de la publicité, celles de l'emballage et de son contenu. Le rouge est la couleur la plus dynamique. Il évoque la force, la fougue et l'énergie.*

- Il a suffi à la firme Lever de vendre le savon Lux en pain de plusieurs couleurs — rose tendre, vert clair, turquoise et jaune — au lieu de la seule couleur jaune habituelle, pour qu'il devienne le premier savon de toilette de luxe sur le marché.

- Durant les années 90, l'Italien Benetton s'est fait un devoir de montrer des jeunes vêtus de vêtements particulièrement colorés. Ces teintes ont permis au fabricant de vêtements d'évoquer le bonheur et la joie pendant plus de 10 ans. Plus récemment, Apple a fait un tabac avec ses ordinateurs iMac bleus et tangerine. Enfin, Gillette a relancé les rasoirs Venus pour femme avec un argument massue : le rasoir est rose !

- Dans le secteur des casinos, des recherches indiquent que les couleurs foncées, le noir, le rouge, le violet et le bleu attirent l'attention des joueurs plus longtemps. On sait que les machines rouge vif sont très efficaces pour attirer les parieurs. Cependant, après quelques instants, ils sélectionnent une machine aux teintes plus douces. On mettra donc les machines voyantes au bout des allées et les machines bleues ou vertes dans le centre des allées.

Les gens achètent le produit lui-même, mais aussi des couleurs.

LA SIGNIFICATION CACHÉE DES COULEURS

Chaque couleur possède une valeur d'expression émotive particulière.

1. Le rouge

Pendant longtemps, il suffisait d'utiliser un emballage rouge et blanc pour vendre à peu près n'importe quel produit. Ce n'est pas un hasard. Le rouge est la couleur publicitaire par excellence. C'est le symbole de l'amour et de la chaleur, de la sensualité et de la passion. D'autre part, il

Adidas and Mitre
use the skins of slaughtered kangaroos.

Who'd want to be in their shoes?

GREENPEACE

Help stop the slaughter. Make sure the sports shoes you buy aren't made from kangaroo skin. 16 Graham Street, London N1 8LL. Tel: 01-251 3020.

◆ *Vous pouvez utiliser le rouge pour tous les interdits et les avertissements.*

s'identifie à la révolte et au sang, au diabolique et au feu dévorant. C'est la couleur la plus violente, la plus dynamique et avec le plus fort potentiel d'action. Elle exprime la joie de la conquête et de la révolution.

Le rouge augmente la pression sanguine, la tension musculaire et le rythme respiratoire. C'est la couleur de l'érotisme lancinant et pressant. Si le rouge pourpre est sévère, traditionnel et riche, le rouge bordeaux est luxueux et élégant. De son côté, le rouge cerise prend une note sensuelle. Le rouge moyen incarne l'activité, la force, le mouvement et les désirs passionnels. Plus clair, il signifie force, fougue, énergie, joie et triomphe. Vous pouvez utiliser le rouge :

- pour les produits destinés à combattre le feu ;

- pour tous les produits à connotation virile — automobile sport, cigarette, crème à raser —, puisque le rouge dégage un attrait particulièrement masculin ;

- pour tous les produits de consommation achetés impulsivement comme le chocolat ou la gomme à mâcher ;

- pour tous les produits alimentaires ; le rouge est promesse de qualité, de valeur, et il est suffisamment neutre pour englober toutes les marchandises de l'entreprise ;

- pour tous les interdits et les avertissements.

Les propriétaires de restaurants rapides utilisent à bon escient les propriétés du rouge lorsqu'ils en peignent leur salle à manger. Ils incitent le consommateur à se presser, accélérant ainsi sensiblement la rotation en accroissant le dynamisme des consommateurs [5].

Pour les mêmes raisons, les ouvriers en devoir ont tendance à passer moins de temps dans des toilettes peintes en rouge que dans celles peintes en bleu [6].

Lors de son repositionnement, Xerox est passé d'un logo bleu à un logo rouge. Ce changement avait pour but de changer l'image de Xerox et de faire comprendre aux consommateurs que la firme n'était plus seulement une marque de copieurs.

2. L'orangé

Il évoque la chaleur, le feu, le soleil, la lumière et l'automne, d'où ses effets psychologiques d'ardeur, de stimulation et de jeunesse. En grande quantité, l'orangé accélère les pulsations cardiaques tout en restant sans effet sur la pression sanguine. Frivole à l'excès, on ne le prend pas au sérieux ; il n'a pas de statut. L'orangé convient bien aux raviolis, aux mets préparés, aux conserves de viande et de produits à base de tomate.

FLASH MÉDIA

LE RÔLE DE LA COULEUR...

À LA TÉLÉVISION

Contrairement aux autres médias, la publicité télévisée a la capacité de marier le son, l'image, la couleur et le mouvement pour séduire le consommateur.

EN AFFICHAGE

Utilisez des couleurs franches.

DANS LE MAGAZINE

Les magazines permettent une reproduction des couleurs d'une grande qualité. La plupart des magazines reproduisent la couleur d'excellente façon. C'est un avantage important quand il s'agit de faire de la publicité pour des aliments, de l'alcool, des vêtements ou des voitures.

DANS LE QUOTIDIEN ET L'HEBDOMADAIRE

Grâce aux nouvelles presses à journaux, la reproduction de la couleur est supérieure à ce qu'elle a déjà été. C'est une bonne affaire.

3. Le jaune

Il est gai, vibrant et sympathique. C'est la couleur de la bonne humeur et de la joie de vivre. Il est tonique et lumineux, et donne, tout comme l'orangé, l'impression de chaleur et de lumière. Le jaune accroche particulièrement le regard des consommateurs, surtout lorsqu'il est jumelé avec le noir. En marketing, le jaune évoque les bas prix. Il est associé à Subway, McDonald's, St-Hubert, Cheerios et Yellow. Le jaune convient également aux produits associés au maïs, au citron et aux crèmes solaires.

◆ *Le jaune est gai, vibrant, sympathique.*

Selon François Perreault, « le jaune est synonyme d'économie et de bas prix. Pas étonnant que des chaînes de restauration rapide comme McDonald's, Burger King ou Subway, de même qu'un magasin de chaussures à bon marché comme Yellow, l'aient adopté comme composante de leur identité visuelle ».

4. Le vert

Il invite au calme et au repos ; il a la propriété d'abaisser la pression sanguine et de dilater les capillaires. C'est un symbole de santé, de fraîcheur et de naturel qui est souvent utilisé pour les légumes en boîte et les produits du tabac, en particulier ceux qui sont mentholés.

De nos jours, le vert est plus à la mode que jamais. On l'associe à l'environnement et aux valeurs écologiques. Le vert est aussi la couleur de l'espérance. Le pont de Blackfriar, à Londres, jadis célèbre pour ses suicides lorsqu'il était peint en noir, a vu diminuer d'un tiers le nombre de désespérés tentés de l'utiliser lorsqu'on l'a repeint en vert [7].

En alimentation, on a découvert que les produits emballés dans du vert semblent moins gras, contenir moins de calories et être plus riches en protéines. C'est une couleur très prisée dans l'emballage de produits congelés.

5. Le bleu

Il évoque le ciel, l'eau, la mer, l'espace, l'air et les voyages. Il est associé à des idées de merveilleux, de liberté, de rêve et de jeunesse. C'est une couleur calme, reposante et transparente, qui inspire paix, détente et sagesse. Elle symbolise la sécurité et le conservatisme. C'est aussi une couleur de richesse, de confiance et de sécurité.

◆ *Le bleu est une couleur calme et reposante, qui inspire la paix. Il évoque la fraîcheur (Life Savers) et il convient bien à une campagne anti-violence dans le métro de Montréal.*

Frais dans les tons clairs, le bleu devient froid dans les tons soutenus. Le bleu convient bien aux produits congelés — pour donner une impression de glace — et à tous les rafraîchissements : bière, boisson gazeuse, eau en bouteille, etc., surtout lorsqu'il est jumelé au blanc. Le bleu-vert est la plus froide des couleurs.

Curieusement, des vestiges de nos modes alimentaires d'autrefois nous incitent à rejeter les boissons et les aliments bleus. Nos préférences nous attirent plutôt vers les couleurs des noix, des racines et des fruits mûrs : les blancs, les rouges, les bruns et les jaunes[8].

6. Le mauve

Il est un rouge refroidi au sens physique et psychique du mot. Il y a en lui quelque chose de maladif, d'éteint, de triste[9]. Le mauve est rarement utilisé en publicité, si ce n'est pour conférer au produit une impression de royauté.

7. Le brun

Il est associé à la terre, au bois, à la chaleur et au confort. Il incarne la vie saine et le travail quotidien. Il exprime le désir de la possession, la recherche d'un bien-être matériel. Le brun est masculin. Il évoque la classe et le professionnalisme. Il sert à vendre n'importe quoi aux hommes.

8. Le noir

Il est associé à des idées de mort, de deuil, de tristesse, de terreur et de solitude. Il rappelle la nuit et recèle, par le fait même, un caractère impénétrable. Le noir est sans espoir, sans avenir. D'un autre côté, le noir confère de la noblesse, de la distinction et de l'élégance. Il s'en dégage un caractère sophistiqué qui convient bien aux produits de grande qualité comme les parfums et les vins, ou pour simuler des produits coûteux comme le chocolat.

THE BEST THING TO HAPPEN TO BUSINESS SINCE REPORT ON BUSINESS.

REPORT ON BUSINESS MAGAZINE

◆ *Le noir confère de la distinction, de la noblesse et de la classe.*

CHANEL N°5

LES NOUVEAUX VAPORISATEURS RECHARGEABLES.

◆ *Le noir est également idéal pour créer des contrastes. Il met en valeur les couleurs qu'il côtoie.*

Si le noir est employé si fréquemment en publicité, c'est qu'il est particulièrement utile pour provoquer des contrastes. En effet, il permet de mettre en valeur les couleurs qui prennent place à ses côtés.

9. Le blanc

Bien qu'il soit très brillant, le blanc est plutôt silencieux et légèrement froid. En grande quantité, il cause l'éblouissement. Seul, il crée une impression de vide et d'infini qui regorge de possibilités.

Le blanc symbolise la pureté, la perfection, le chic, l'innocence, la chasteté, la jeunesse, le calme et la paix. Il personnifie la propreté, surtout quand il est à proximité du bleu. C'est le compagnon idéal de toutes les couleurs puisqu'il a pour effet d'en rehausser le ton.

◆ *Le blanc suggère la propreté. Lorsqu'il est agencé avec du bleu, il évoque aussi la fraîcheur.*

L'élégance du sourire.

Topol ENLÈVE LES TACHES
Pâte dentifrice pour fumeurs

Les taches de café, de thé, de vin et de tabac sur les dents, ce n'est pas votre style. Topol rend
vos dents blanches et brillantes… pour un sourire resplendissant!

10. Le gris

Il est l'expression d'un état d'âme douteux. Sa pâleur rappelle l'épouvante, la vieillesse et la mort. Le gris est par excellence la couleur sale. Cela dit, le gris métallique suggère la force, l'exclusivité et le succès.

11. Le rose

Il est timide et romantique. Il suggère la douceur, la féminité, l'affection et l'intimité.

12. Les teintes pastel

Pour Favre et November, deux experts dans le domaine de la couleur, les traits caractéristiques des teintes pastel sont un adoucissement et un affaiblissement des particularités des couleurs dont elles proviennent. Elles sont la marque de l'intimité et de l'affection.

L'AMOUR EST ROUGE, LE SEXE EST ROSE

La couleur est reliée aux émotions. Le spécialiste des études de motivation Henry C.L. Johnson a étudié intensivement la question et a livré l'essentiel de ses conclusions dans un article paru dans la revue *Marketing/Communications*, ancêtre du magazine *Printers' Ink*[10]. La liste suivante en est fortement inspirée:

A

accablement - noir
accomplissement - rouge
action - rouge, brun
affliction - pourpre
agitation - rouge
alerte - rouge
amitié - vert
amour (divin) - violet
amour (humain) - rouge
amour (physique) - rouge orangé
attachement aux choses
de ce monde - brun

automne - orange et brun
autorité - noir

B

beauté (divine) - jaune
beauté (humaine) - vert
belligérance - rouge orangé
bonheur - jaune orangé
bourgeoisie - vert
bravoure - rouge
brouillard - gris

C

calme - vert et bleu

camaraderie - brun

catastrophe - violet

cérémonie - violet

chagrin - noir

chair - rose

chaleur - rouge, jaune

chaleur (intérieure) - rouge orangé

chaos - violet

Chine - jaune

citron - jaune

colère - rouge orangé

compréhensibilité - jaune

confiance - bleu, jaune

connaissance - jaune

conservatisme - bleu

constance - bleu

contentement - vert

cordialité (atmosphère) - brun

croissance - vert

D

danger - rouge

découragement - gris

dédicace - violet

délicatesse - teintes pastel, bleu

désagréable - vert olive

dévouement - noir

deuil - noir, violet

dignité - pourpre

distinction - jaune

dominance - rouge orangé, pourpre

douceur - teintes pastel

douleur - noir

E

éclaircissement - jaune

émotion humaine - rouge

empereur - rouge pourpre

enchantement - violet

endurance - orange

énergie - rouge

ennui - vert, gris

épouvante - bleu, violet, gris

équilibre - vert

estime - jaune

été - jaune et bleu

éternité - vert et bleu

espoir - vert

euphorie - orange

évasion - violet

excellence - jaune

excitation - rouge

exotisme - vert et bleu

F

fécondité - vert, brun

femme - rouge

fertilité - vert

feu - jaune

feuilles mortes - orange

fidélité - bleu, noir, argent

fièvre - rouge orangé

foi - bleu

force - orange

force (impulsive) - rouge orangé

force (physique) - brun

froid - bleu

frugalité - pourpre

funérailles - violet

G

gaieté - jaune

gloire - rouge

gourmet - brun

H

hiver - rouge, noir

honneur - or, bleu

humilité - bleu, noir

I

immatérialité - bleu

immortalité - bleu

impérial - rouge impérial

impressionnant - violet

innocence - argent, blanc

intangible - bleu

intelligence - jaune

intensité - jaune

intimité - rose

introverti - bleu

J

jalousie - jaune

jeunesse - vert

joie - jaune, rose, argent, vert

L

légèreté - blanc, argent, bleu

légumes - vert

légumes (croissance) - rouge orangé

lever de soleil - jaune orangé

libéral - rouge

loisir - vert

loyauté - or, noir

M

machine - gris

malheur - noir

mariée - blanc

masculin - brun

massacre - rouge orangé

maturité - brun

mélancolie - pourpre, noir, gris

menace - violet

meurtre - noir

montagnes lointaines - bleu

mort - violet, noir

mystère - noir, bleu, violet

N

nature - vert

néant - bleu

noblesse - violet

Noël - rouge, vert

O

ombre - bleu

oppression - violet

or - jaune

P

paix - blanc

passé - gris

passion - rouge

passions amoureuses - rouge orangé

passivité - bleu

pénitence - noir

piété - violet

poussière - gris

pouvoir - bleu, noir

prestige - violet, bourgogne, blanc, jaune, or, noir

printemps - rose, vert

pureté - blanc, jaune, argent

Q

qualité supérieure - or

R

rayonnement - jaune

récessivité - jaune

récompense - bleu

repos - bleu, bleu-vert

révolte - rouge

révolution - rouge

richesse - violet

royauté - pourpre, noir

S

sacrifice - rouge orangé

sagesse - argent, gris

sainteté - blanc

santé - vert

secret - violet

sécurité - vert

sensibilité - bleu

sexe - rose

soif - jaune, orange, vert, brun, rouge, bleu, bleu-vert

solitude - violet

spiritualité - bleu, violet, jaune

splendeur - violet

sport - brun

superstition - violet

T

tendresse - bleu

trêve - blanc

triomphe - rouge orangé

tristesse - noir

U

utopie - violet

V

vaillance - rouge orangé

végétation - vert

vérité - bleu

victoire - rouge orangé

vie éternelle - vert

vieillesse - gris

vigueur - rouge

violence - rouge

virilité - brun

voix de femmes - jaune

Y

yeux - bleu

LES COMBINAISONS DE COULEURS

Quand vous faites de la publicité imprimée ou de l'affichage, il est important de connaître la symbolique des couleurs principales. Mais il faut aussi connaître la symbolique des couples de couleurs, car, dans ce cas, le lecteur n'enregistre pas chaque élément isolément, mais plutôt l'ensemble des sensations.

Pour l'essentiel, vous devez savoir ceci :

- La combinaison *rouge-jaune* signifie volonté de conquête et désir de nouveauté. Lorsque vous appliquez ces caractéristiques en utilisant le rouge et le jaune, l'effet psychologique est atteint si vous présentez des sources d'énergie comme des pompes à essence ou des boîtes d'allumettes.

- La combinaison *rouge-vert* signifie volonté d'affirmation de soi, autorité et sûreté. Elle est recommandée quand vous voulez créer une impression de force et de solidité pour des produits d'entretien, par exemple.

- La combinaison *rouge-bleu* signifie volonté de conquête, besoin de contacts intimes et érotiques. Elle convient à l'emballage de produits de beauté ou pour du papier à lettres d'amour.

- La combinaison *rouge-noir* signifie excitation refoulée qui menace de se décharger en impulsions agressives. « Au théâtre ou au cinéma, écrit Max Lüscher, le costume du diable est rouge et noir. Avant qu'il n'ait prononcé un seul mot, il est déjà reconnu par l'effet psychologique de son habit. »

- La combinaison *jaune-bleu* est très dynamique. Elle suggère la puissance, l'efficacité, la vitesse et l'énergie.

- La combinaison *bleu-rose* suggère douceur, enfance et légèreté. Elle éveille chez le consommateur des sentiments maternels et des motivations de protection. Elle convient bien aux produits de beauté et aux produits destinés aux bébés.

- La combinaison *rouge-blanc* donne une impression de propreté et un caractère hygiénique.

- La combinaison *bleu-blanc* provoque une sensation de fraîcheur et d'hygiène. Elle évoque un tempérament frais et jovial.

- La combinaison *vert-bleu* suggère le repos, la fraîcheur et la nature.

- La combinaison *blanc-noir* donne à vos publicités une impression de rigidité, de solennité, de chic et de bon goût.

- La combinaison *jaune-rouge-bleu* est joyeuse et animée.

- La combinaison *jaune-rouge-orange-vert-brun* évoque la soif, le fruit tropical mûr, le soleil et l'évasion.

- Les combinaisons *multicolores* suggèrent le dynamisme, la joie, et l'énergie des jeunes enfants.

◆ *La combinaison rouge-vert est très dynamique. Elle provoque un effet de contraste très vif.*

◆ *La combinaison rouge-bleu crée un puissant contraste. Elle est très attirante.*

◆ *La combinaison jaune-noir a un caractère explosif.*

◆ *La combinaison rouge-jaune est très dynamique.*

Les couleurs suggèrent des degrés de *température*. Le jaune, l'orangé et le rouge, couleurs dites stimulantes, dynamiques et excitantes, sont chaudes. Leurs pouvoirs s'expriment au niveau du système nerveux sympathique et de l'activité glandulaire. La tension s'élève, la respiration et le rythme cardiaque s'accélèrent.

Inversement, le bleu, le vert et le violet, couleurs dites calmes et reposantes, sont froides. Elles agissent sur le système parasympathique. Elles diminuent l'attention et les rythmes pulmonaire et cardiaque.

Abraham Moles a calculé que le temps d'accrochage d'une annonce est de un dixième de seconde en moyenne [11]. Pour retenir l'intérêt, votre annonce doit donc capter l'attention de vos lecteurs d'un seul coup d'œil. Certaines couleurs sont plus efficaces que d'autres pour attirer les regards.

Dans des conditions normales, les couleurs chaudes attirent davantage l'œil et se voient de plus loin que les couleurs froides. À ce titre, c'est l'orange clair et le rouge orangé qui remportent la palme. Utilisés à dose modérée, ils attirent l'attention plus que tout autre alors qu'à dose massive, ils provoquent l'angoisse.

C'est ce qui explique pourquoi vous voyez si souvent de l'orange clair sur les étiquettes annonçant des produits à prix réduit et plus rarement sur des emballages ou des panneaux publicitaires longeant de grandes artères.

Dans l'obscurité, le rouge est la couleur qui se voit le mieux, suivi du vert, du jaune et du blanc. Le bleu et le violet sont, dans les mêmes conditions, les deux couleurs les plus difficiles à distinguer.

Les couleurs complémentaires — rouge et vert, bleu et jaune, violet et orange — sont celles dont la juxtaposition provoque l'effet de contraste le plus vif. Le rouge paraît plus vif sur un fond vert. Il en est de même du blanc et du noir. Comme le fait si bien remarquer Philippe Lebatteux dans son livre *La publicité directe : conception et diffusion,* les bouchers ont l'habitude d'utiliser cette propriété des contrastes quand ils décorent leur étalage de persil pour faire paraître leur viande plus fraîche.

La couleur modifie le poids des objets. En 1926, Carl Warden et Ellen Flynn concluent que le noir semble le plus lourd, puis vient le rouge, le gris et le violet — de même poids —, ensuite le bleu, le vert, le jaune et le blanc [12]. Depuis, le spécialiste français Maurice Déribéré a montré que les couleurs foncées — lesquelles contiennent une grande quantité de noir — sont lourdes, et les couleurs pâles — lesquelles contiennent une grande quantité de blanc — sont légères [13].

Une expérience réalisée dans une usine américaine a démontré que de lourdes caisses noires manipulées quotidiennement étaient apparues plus légères aux hommes responsables de ce travail lorsqu'elles furent peintes en vert clair.

Lors d'une autre enquête, des caisses peintes en jaune clair paraissaient plus légères que des caisses ayant le même poids, mais peintes d'un brun foncé [14]. À tel point que leur porteur ressentait moins de fatigue au bout d'une journée de travail.

De plus, les teintes lourdes diminuent la dimension des objets. Une figure blanche sur un fond noir paraît plus grande qu'une figure noire de même dimension sur un fond blanc. De trois caisses de dimension identique, la rouge semblera la plus petite, la blanche la plus grande, la bleue se situant entre les deux. Les trois bandes verticales du drapeau français, pour paraître d'égale largeur vues de loin, doivent avoir les proportions suivantes : bleu, 33 % ; blanc, 30 % ; rouge, 37 % [15].

John Hedgecoe rapporte que « l'effet de ces combinaisons a une base psychologique, la longueur d'onde des différentes couleurs ne se focalisant pas au même moment au fond de l'œil [16]. La distance focale est plus grande pour les rouges et les jaunes que pour les bleus et les verts. Quand nous regardons ces couleurs mélangées, l'œil effectue des mises au point constantes pour compenser les différences de longueurs d'onde. »

Les couleurs bougent. Le blanc, couleur active, rayonne au-delà de ses limites, alors que le noir, couleur passive, semble se replier sur lui-même. En outre, le rouge semble venir sur celui qui regarde, alors que le bleu paraît s'en éloigner.

Comment expliquer ce phénomène ? Selon John Hedgecoe, « cette impression est due au fait psychologique que la lumière rouge est moins facilement focalisée que la bleue [17]. En d'autres mots, l'œil doit s'accommoder davantage pour se mettre au point sur du rouge que sur du bleu. C'est pourquoi des objets rouges paraissent plus près que des objets bleus pourtant placés à la même distance ».

Les couleurs ont aussi un goût. Le jaune-vert et le vert jaunâtre sont acides. Le jaune orangé et le rouge sont doux. Le rose est sucré. Le bleu, le brun, le vert olive et le violet sont amers. Le jaune est piquant. Le gris-vert et le gris-bleu sont salés.

De même, les consommateurs associent les couleurs à des odeurs. L'orange est poivré. Le vert est légèrement épicé. Le violet et le lilas sont parfumés. Les couleurs claires, pures et délicates, rappellent l'odeur d'un doux parfum. Au contraire, les couleurs sombres, troubles et chaudes, évoquent des odeurs repoussantes.

On associe également les couleurs à des sons. Le violet est grave, le jaune est aigu et le rouge est bruyant.

Au toucher, le rouge est chaud, carré et saillant, le jaune est pointu, triangulaire, et le bleu est froid, fuyant, glissant, rond [18].

Évidemment, vouloir exprimer le caractère des couleurs n'est qu'une tentative pour confirmer les vibrations que les couleurs éveillent dans notre esprit. En effet, les sentiments qu'on éprouve sont si subtils et délicats que les mots sont incapables d'en rendre tout à fait le sens.

Heureusement, pour faciliter la vie des publicitaires et s'assurer que le rose Barbie ou le bleu d'IBM soit toujours le même, un jeune graphiste nommé Lawrence Herbert a créé la charte Pantone. L'entreprise génère aujourd'hui un chiffre d'affaires annuel de deux milliards de dollars. Grâce à la charte Pantone, les graphistes et les imprimeurs du monde entier peuvent parler le même langage quand il est question de couleur.

QUELLES SONT LES COULEURS LES PLUS AIMÉES ET LES PLUS DÉTESTÉES ?

Certaines couleurs ont la faculté de plaire ou de déplaire de façon plus ou moins générale. Eysenk a fait le sommaire des recherches menées par 40 statisticiens sur un échantillon total de 21 000 sujets dans divers pays [19]. Il conclut que l'ordre de préférence est :

- le bleu

- le rouge

- le vert

- le violet

- l'orangé

- le jaune

De façon générale, les couleurs franches sont mieux cotées que les couleurs intermédiaires.

Si on examine les préférences par sexe, on découvre que chez les femmes, le rouge vient immédiatement après le bleu, alors que chez les hommes, c'est le vert qui vient après le bleu.

Pour les nuances, c'est le rose qui vient le plus souvent en tête. Suivent, dans l'ordre, le beige, le bleu azur, le bleu clair, le vert clair, le jaune pâle et le bleu marine. Parmi les nuances désagréables, le jaune-vert vient en tête du palmarès, suivi du vert olive et du gris. Du côté des combinaisons, ce sont les paires bleu-jaune, bleu-vert, bleu-rouge et jaune-rouge qui sont décrites comme les plus agréables.

Fait à noter, les préférences pour certaines couleurs changent avec l'âge [20]. Les jeunes acceptent mieux les couleurs pures et éclatantes comme le rouge et le jaune. Les personnes âgées préfèrent les teintes douces, les couleurs plus sombres et de faible intensité.

Les enquêtes ont montré que les masses pauvres et peu cultivées ont une prédilection pour les couleurs vives comme le rouge ou l'orangé. Inversement, plus une personne est d'un statut social et culturel élevé, plus elle a tendance à aimer les couleurs froides, les teintes douces et les nuances [21].

Si vous voulez utiliser une couleur sur des marchés étrangers, assurez-vous qu'elle n'a pas de signification négative. Le professeur John Petrof, de l'Université Laval, indique que « les couleurs n'ont pas partout les mêmes attributs. Au Japon, le blanc est un signe de deuil ; il en est tout autrement au Canada. En Égypte et en Syrie, le vert est la couleur nationale ; l'utiliser sur l'emballage serait mal vu [22]. »

LA SYMBOLIQUE DES LIGNES ET DES FORMES

Tout comme les couleurs, les lignes et les formes contribuent à la signification de votre illustration ou de votre produit. Dans une expérience devenue célèbre, Louis Cheskin a démontré qu'un tube décoré avec des cercles était perçu comme contenant un produit de qualité supérieure à celui d'un tube décoré avec des triangles.

Lors de cette étude, 200 femmes ont utilisé 2 laits de toilette [23]. On leur a demandé lequel des deux laits était supérieur à l'autre. Près de 80 % ont déclaré que le produit contenu dans le tube décoré de cercles était incomparablement supérieur. Et pourtant, il s'agissait du même produit dans les deux tubes.

Certaines formes donnent une impression de densité, de viscosité et de lourdeur, d'autres expriment la fluidité et la légèreté. Pour une enquête, Raymond Loewy, le plus connu de tous les designers industriels, a offert à 500 personnes une quantité égale de bière, les unes contenues dans des bouteilles élancées et faites de verre transparent, les autres dans des bouteilles trapues en verre opaque. Aucune ne portait d'étiquette.

Après la dégustation, Loewy a demandé aux invités de lui dire quelle bouteille contenait la bière la plus légère. Bien que les bouteilles aient été remplies de la même bière, 98 % des gens ont déclaré que la bière la plus légère était contenue dans la bouteille la plus mince[24].

Voici la signification des lignes et des orientations[25] :

- La ligne fine exprime la simplicité, la délicatesse et la légèreté.

- La ligne épaisse suggère la force, l'énergie.

- La ligne massue donne une impression de résolution, de violence.

- La ligne longue inspire un sentiment de vivacité.

- La ligne courte donne un sentiment de fermeté.

- La ligne brisée crée une impression de mouvement saccadé.

- La ligne droite horizontale suggère le calme, le repos, la tranquillité, la stabilité, la sécurité et la sérénité d'esprit.

- La ligne droite verticale évoque l'infini, la hauteur, l'élan, la chaleur, l'activité, la difficulté rencontrée. La verticale ascendante est toujours synonyme de spiritualité, de progrès ; elle est positive. La verticale descendante est plutôt terreuse et suggestive de régression ; elle est négative.

- La ligne courbe rappelle la douceur, la grâce, l'élégance, la souplesse, la gaieté, la fantaisie, le mouvement, la jeunesse et l'instabilité.

- Les lignes obliques donnent l'impression de mouvement, de chute. Celles qui penchent vers la droite sont liées à des sentiments positifs ; elles sont dynamiques et semblent progresser. En revanche, celles qui penchent vers la gauche sont liées à des sentiments négatifs et semblent régresser.

- Les lignes quadrillées suggèrent l'atmosphère de la recherche.

◆ *Les lignes obliques suggèrent le mouvement. Celles qui penchent vers la droite sont, graphiquement parlant, liées à des sentiments positifs.*

Pour ce qui est des formes :

- Le cercle est doux, sensuel, féminin.

- Le carré est dur, sec, froid, masculin.

- Le triangle est agressif ; c'est la forme la plus virile. S'il repose sur sa base, il suggère le calme et la stabilité. S'il est sur sa pointe, il dégage au contraire une impression de légèreté et de déséquilibre.

« Devez-vous emballer un chapeau pour homme dans une boîte ronde ? demande Stephen Baker. Un hexagone serait plus recommandé[26]. »

« Est-ce qu'un savon féminin et un antisudorifique pour femme devraient être ovales ou carrés ? La forme ovale serait préférable parce que plus féminine. »

« Est-ce qu'un détergent devrait être emballé dans une boîte carrée ? Oui, on a découvert que les détergents étaient considérés comme plus efficaces s'ils connotaient des valeurs masculines. »

Les céréales du matin devraient-elles être emballées dans un contenant carré ? Oui. Les emballages carrés évoquent des idées de puissance, d'abondance et de générosité qui conviennent bien avec ce qu'on attend du repas du matin.

EN RÉSUMÉ

Quand vous décidez d'utiliser de la couleur, des formes et des lignes dans vos imprimés publicitaires, votre choix devrait se baser sur des critères objectifs comme la visibilité et la lisibilité, mais aussi sur des critères subjectifs comme les idées que ces éléments graphiques évoquent.

◆ *Les lignes et les formes contribuent à la signification de votre logo. Si vous multipliez les angles et les pointes, vous évoquez la force et la puissance.*

Chapitre 9

La publicité comparative : quand l'utiliser, quand l'éviter

La publicité comparative a fait son apparition aux États-Unis en 1930. Dans une publicité imprimée, Sears comparait alors sa gamme de pneus à celle de huit autres marques nationales. En 1931, Firestone décida de répliquer à Sears[1]. La publicité comparative de Firestone fut cependant rejetée par de nombreux journaux dont le *Chicago Tribune* et le *New York Daily News*. La même année, Plymouth fit paraître une publicité qui incitait les consommateurs à « regarder les trois véhicules avant d'acheter[2] ». La publicité comparative était née.

En 1964, Wilkie et Farris indiquent que 15 % de la publicité est de type comparative[3]. Dix ans plus tard, ce pourcentage est passé à 20 %. En 1982, 23 % de tous les messages référaient d'une façon ou d'une autre à la compétition. C'est dire son importance.

Plusieurs publicitaires sont convaincus de l'efficacité de la publicité comparative. L'expérience semble leur donner raison. Pepsi, Burger King, Savin, Carefree et le shampoing Suave ont augmenté significativement leur part de marché grâce à la publicité comparative.

Les campagnes politiques ont joué un rôle dans cet engouement. Aux États-Unis, la victoire de George Bush sur Mike Dukakis aux élections présidentielles de 1988 est généralement attribuée à la publicité négative qu'utilisa son conseiller Roger Ailes. Au Canada, la publicité négative a joué un rôle crucial à l'élection fédérale de 2004. Elle a permis à l'équipe de Paul Martin de noircir le chef du parti conservateur, Stephen Harper.

En affaires ou en politique, l'objectif de la publicité comparative est simple : identifier la compétition et la déprécier. Même si plusieurs grandes agences la réprouvent, la publicité comparative est aujourd'hui une pratique courante aux États-Unis, au Canada, en Grande-Bretagne, en Suède et en Australie. En 1971, la FTC, équivalant du CRTC au Canada, a légitimé son utilisation aux États-Unis.

Prenons l'exemple des fournisseurs de signaux télévisés. Depuis l'arrivée de la télé par satellite au Québec, les câblodistributeurs et les diffuseurs par satellite se sont lancé la balle dans des campagnes de publicité comparative particulièrement persuasives. Star Choice a traité les câblodistributeurs de « gros monopoles gourmands ». Vidéotron n'a pas tardé à réagir en lançant son service Illico dont la campagne de publicité misait sur la capacité d'interagir avec son téléviseur.

Pourtant, peu de consommateurs apprécient la publicité comparative. Plus de 41 % ne la trouvent pas « correcte » parce que tous les faits présentés ne permettent pas une juste comparaison. En outre, 37 % estiment que les faits présentés sont le plus souvent exagérés. Enfin, 36 % pensent que les annonceurs devraient miser sur leur point fort plutôt que de dénoncer la compétition[4]. Pour William LaMothe, président de Kellogg's, « la publicité comparative est un moyen paresseux de vendre un produit ».

Quoi qu'il en soit, la publicité comparative a donné lieu à une importante bibliographie[5]. De tous ces articles émergent deux questions qui nous intéressent plus particulièrement :

1. Quand devez-vous utiliser la publicité comparative ?

2. Quand devez-vous l'éviter ?

◆ *À l'occasion, la publicité comparative peut se faire subtile. Cette publicité pour le centre de ski Stoneham, en banlieue de Québec, a été placée aux abords des autres centres de ski de la région et invite les gens à faire demi-tour.*

PERFORMANCE SUPÉRIEURE À LA MOYENNE

La publicité comparative peut être efficace :

1. Lorsque votre produit détient une petite part de marché, que vous êtes un nouveau venu ou que vous êtes peu connu [6]

Selon la publicitaire québécoise Danielle Choquette, « la publicité comparative constitue une excellente façon pour un nouvel acteur de se faire remarquer, en se collant sur l'acteur dominant [7] ».

Évidemment, les leaders sont forts. Pour augmenter vos résultats, il faudra donc amener les gens à changer d'opinion sur le leader. C'est la stratégie qu'utilisa Tylenol lorsqu'elle annonça que l'Aspirine pouvait irriter les parois de l'estomac. Aujourd'hui, Tylenol est le numéro un des analgésiques aux États-Unis, avec 30 % du marché, devant Anacin, Bayer, Bufferin et Excedrin. Un exploit formidable dans un marché dominé par Aspirine.

2. Lorsque vous pouvez prouver la supériorité de votre produit

Expliquez aux consommateurs les raisons d'acheter votre produit, mais aussi les raisons de ne pas acheter celui de la compétition.

Ces dernières années, Savin a utilisé la publicité comparative pour démontrer sa supériorité sur Xerox. Dans une de ses publicités, la compagnie révélait aux consommateurs que les copieurs de marque Savin étaient moins coûteux et plus solides que ceux de la compétition. En moins de 4 ans, les ventes ont passé de 60 millions à 200 millions de dollars, et Savin a installé plus de copieurs que quiconque dans l'industrie.

Aux États-Unis, Burger King a réussi à relancer ses ventes en montrant à la télévision la technique de cuisson de ses hamburgers. En Angleterre, elle a plutôt choisi de dire que ses hamburgers contiennent 41 % plus de bœuf que ceux de McDonald's [8].

3. Lorsqu'il n'y a pas de préférence ou lorsqu'il n'y a pas de fidélité pour une marque en particulier

Les consommateurs indécis sont toujours réceptifs à de l'information nouvelle[9].

4. Lorsque votre budget est inférieur à celui de votre compétiteur

La publicité comparative vous permet de vous accrocher au leader, comme le fait Burger King avec McDonald's.

5. Lorsque vous êtes victime de la publicité comparative [10]

Le consommateur indécis est toujours réceptif à de nouvelles informations. Répondre à vos adversaires vous permet de riposter, de mettre les choses au clair et, éventuellement, de présenter les choses en votre faveur.

Cependant, il est important d'ajouter ceci : dans les faits, l'opération n'est pas toujours aussi facile. Comme le fait remarquer Larry Light : « Si la marque numéro un contre-attaque, le consommateur peut être amené à croire que l'attaque initiale était fondée. De façon générale, l'histoire indique que cela a toujours pour effet d'augmenter la crédibilité de l'attaque originale[11]. »

Peu après que Coca-Cola eût répliqué aux attaques répétées de Pepsi-Cola, on rapporte que les parts de marché de Pepsi passèrent de 8 % à 18 % à Dallas[12].

Cependant, il y a quelques exceptions. La réplique de Hertz face à la publicité comparative d'Avis permit à Hertz de reconquérir 5 % des 10 % des parts de marché perdues, et ce, à l'intérieur de 6 mois. Cela tendrait à démontrer que les effets sur le marché résultent aussi de la qualité de la réplique offerte.

6. Lorsque votre produit a un réel caractère de nouveauté

Un produit nouveau est plus aisément accepté s'il est comparé à un produit déjà existant.

Des expressions comme une essence « sans plomb », Cola « sans sucre » et nourriture « sans additif » sont tous des exemples qui illustrent comment des nouveaux produits peuvent être comparés à des anciens.

7. Lorsque vous faites de la publicité industrielle

Dans la mesure où les gens qui lisent ce genre de publicité ont tendance à adopter une attitude plus rationnelle, les comparaisons directes avec d'autres marques donnent très souvent de bons résultats.

8. Lorsque vous avez tout essayé, sans succès

La publicité comparative représente l'arme ultime. Après plusieurs campagnes publicitaires infructueuses, les fabricants des appareils Vivitar décidèrent de tester les deux marques d'appareils dans une démonstration côte à côte[13]. La publicité démontra la supériorité des appareils Vivitar, ce qui se traduisit par une hausse substantielle des ventes. En peu de temps, Vivitar passa au deuxième rang des parts de marché avec 10 %.

PERFORMANCE INFÉRIEURE À LA MOYENNE

La publicité comparative n'est pas recommandée :

1. Lorsque vous dominez le marché

La plupart du temps, un leader n'a aucun avantage à attirer l'attention des consommateurs sur ses poursuivants[14]. En utilisant de la publicité comparative, le numéro un hausse la crédibilité des autres marques. Si le leader attaque les marques rivales, il lance un message simple : les produits de la compétition sont plus performants que les nôtres.

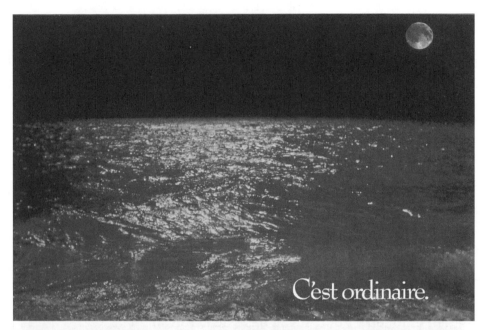

◆ *Avec subtilité (le message est évoqué visuellement), Smirnoff promet une vodka supérieure.*

2. Lorsqu'il n'y a pas de différence entre votre produit et ceux de la compétition

Il est inutile d'utiliser la publicité comparative si vous ne pouvez pas montrer pourquoi les gens devraient acheter votre produit plutôt que celui de la concurrence. Dans un article publié dans la revue *Sales and Marketing Management,* John Trytten estime que la publicité comparative est efficace seulement lorsqu'elle est basée sur des faits concrets[15].

3. Lorsque votre budget est fort limité

La plupart des campagnes qui utilisent la publicité comparative ont une caractéristique commune : ce sont des opérations qui durent longtemps et qui sont financièrement coûteuses. Par exemple, les attaques de Pepsi contre Coca-Cola durent depuis des années.

4. Lorsque le consommateur achète votre produit sur la base de l'émotion et non sur la base de la raison

On ne fait pas de la publicité pour Revlon en affirmant que le rouge à lèvres Revlon séduit en moyenne 69 % plus d'hommes que le rouge à lèvres de Maybelline.

DEVEZ-VOUS IDENTIFIER CLAIREMENT VOTRE COMPÉTITEUR ?

Une étude réalisée par Philip Levine montre que les annonces télévisées qui identifient les marques concurrentes sont perçues comme plus complexes et moins crédibles que les annonces qui ne le font pas[16]. Néanmoins, l'agence Batten, Barton, Durstine & Osborn indique que les produits qui détiennent une petite part de marché ont avantage à nommer les marques concurrentes[17].

Hank Seiden déclare : « Les gens croient totalement les messages qui mentionnent les noms des compétiteurs. Ils tiennent pour acquis que si vous montrez ou parlez du produit de la compétition, ce que vous dites dans le message doit être vrai, et que dans le cas contraire, vous ne le diriez pas. Les gens savent que vous pourriez non seulement être forcé de retirer la publicité, mais que vous pourriez également être poursuivi pour ce que vous avez dit[18]. »

Gillette, Ford, 3M et Avis ont montré qu'il pouvait être payant de faire référence à la compétition. Évidemment, Avis n'a jamais identifié explicitement le leader Hertz quand elle a débuté sa campagne « *We're #2* ». Mais tous les consommateurs qui connaissaient le marché de l'automobile de location ont reconnu la compagnie visée par cette campagne. De la même façon, les gens ont identifié Kodak lorsque 3M s'est comparée à « la firme à la boîte jaune[19] ».

AVERTISSEMENT

Si le sujet de votre publicité comparative implique une confrontation de face avec le leader, vous devez l'oublier. Une publicité qui s'attaque de front aux habitudes de consommation des gens se retourne toujours contre ses auteurs, comme le boomerang se retourne vers celui qui l'a lancé.

Pour concurrencer un leader solidement établi, vous devez trouver une faiblesse dans son armure et la révéler aux consommateurs. Vous pouvez mentionner que votre produit est moins cher, que les ingrédients que vous utilisez sont de meilleure qualité, que votre produit n'a pas les mêmes inconvénients que ceux de la compétition. Mais vous ne pouvez pas vous contenter de dire qu'il est meilleur.

Chapitre 10

Les 5 effets de la répétition

Rendu à la fin de ce livre, j'éprouve le besoin de vous donner un dernier conseil : *répétez vos publicités aussi longtemps qu'elles vendent.* Une annonce publiée un jour et non reprise par la suite est une annonce perdue.

Mener une campagne publicitaire, cela signifie frapper sur le même clou pendant des semaines, voire des mois. Napoléon a dit : « La répétition est le meilleur argument. » C'est la même chose en publicité.

Dans les faits, plusieurs annonceurs échouent parce qu'ils manquent de poids publicitaire. Dans les médias électroniques et en affichage, ils n'achètent pas assez de poids publicitaires. Dans les médias écrits, ils oublient de maximiser la fréquence.

Selon Richard Tedlow, la répétition peut venir à bout de tout[1]. « Une goutte d'eau finira par traverser un rocher. Si vous frappez juste et sans relâche, le clou s'enfoncera dans la tête. » La répétition est un outil tellement puissant qu'une étude a montré que 9 acheteurs de votre produit sur 10 vont continuer à regarder votre publicité même après avoir acheté votre produit[2]. Vous augmentez ainsi les chances que votre client soit satisfait de son achat.

Évidemment, il ne faut pas s'attendre à des effets *instantanés*. En règle générale, il faut environ de quatre à six mois pour que vos campagnes publicitaires commencent à avoir des effets observables[3].

Dès que vous cessez d'annoncer, vous commencez à être oublié. La recherche publicitaire confirme que la mémoire est une faculté qui oublie. Dès 1885, Hermann Ebbinghaus démontrait l'importance de la répétition. Depuis, plusieurs études ont démontré qu'une augmentation de la répétition se traduisait normalement par une hausse de la notoriété et des ventes du produit[4].

FLASH MÉDIA

LE RÔLE DE LA RÉPÉTITION...

À LA TÉLÉVISION

À la télévision, il est toujours recommandé de travailler à long terme. Conservez vos arguments le plus longtemps possible et répétez-les souvent. En conservant un poids publicitaire minimum, vous garantissez ainsi l'efficacité de votre message.

À LA RADIO

La radio est un média publicitaire qui nécessite une fréquence élevée. Pour des raisons stratégiques, vous devez répéter votre message le plus souvent possible. En répétant souvent vos arguments, vous augmentez vos chances de bâtir une notoriété autour de votre produit et de faire réagir le consommateur.

Une période de trois semaines de campagne consécutive est recommandée pour permettre d'augmenter le taux de rappel d'un même message auprès des auditeurs et ainsi créer la notoriété de la marque. «Lors d'un achat radio, les études ont montré que la fréquence constitue le critère d'évaluation de base», rappelle Joanne Lebœuf, ex-directrice générale du Bureau de commercialisation de la radio.

EN AFFICHAGE

Quand vous faites de l'affichage, il est nécessaire d'acheter le plus de poids publicitaire possible. Le taux de mémorisation des panneaux-réclames est un atout important. Viacom indique qu'il n'y a pas de déclin majeur de notoriété jusqu'à six semaines après la fin d'une campagne de publicité extérieure.

DANS LE MAGAZINE

«Le magazine n'est pas un média de matraquage, mais de séduction. C'est un travail de longue haleine qui pourrait facilement s'étendre sur un an ou deux», rappelle Yves Perreault, vice-président directeur groupe création de Cossette Communication-Marketing[5].

La périodicité aux deux semaines et aux mois de plusieurs magazines ne permet pas de générer des taux de fréquences élevés à court et à moyen termes. Cette périodicité vous empêchera souvent de créer un sentiment d'immédiateté et d'exploiter un événement rare.

DANS LE QUOTIDIEN

Selon Gilbert Martin, directeur du marketing du *Journal de Montréal*, «plusieurs annonceurs comprennent mal le fonctionnement du quotidien; parce que l'imprimé a un aspect permanent, ils ont l'impression qu'une seule annonce est suffisante. Un journal reste quelques chose de périssable, qu'on jette à la fin d'une journée. Il faut penser à la fréquence, à la saturation[6]». Dans les années 60, 80 % des gens lisaient un quotidien chaque jour par rapport à 60 % aujourd'hui. Il est donc important de répéter.

DANS L'HEBDOMADAIRE

La recherche a montré que plus un lecteur sera exposé à une publicité, plus il aura tendance à développer un sentiment favorable à l'égard de celle-ci. Vous avez peur de surexposer votre message? Rassurez-vous. Selon une recherche récente, seulement 7 % des gens estiment avoir vu trop souvent les publicités dans les hebdomadaires.

CE QUE LA RÉPÉTITION PEUT FAIRE POUR VOUS

Plusieurs chercheurs ont consacré du temps à l'étude des effets de la répétition[7]. Voici les cinq miracles que la répétition peut faire pour votre publicité.

1. La répétition augmente la probabilité d'exposition à votre publicité

Plus un lecteur est exposé à une annonce, plus il est susceptible de la voir. Pour atteindre approximativement 95 % des lecteurs d'une publication, Daniel Starch a calculé qu'une annonce devra être répétée :

- 13 fois si elle a été perçue par 20 % des lecteurs lors de sa première impression ;

- 8 fois si elle a été perçue par 30 % des lecteurs lors de sa première impression ;

- 6 fois si elle a été perçue par 40 % des lecteurs lors de sa première impression ;

- 4 fois si elle a été perçue par 50 % des lecteurs lors de sa première impression ;

- 3 fois si elle a été perçue par 60 % des lecteurs lors de sa première impression[8].

La répétition publicitaire augmente donc la notoriété de votre produit. Or, la recherche indique qu'acheter un produit familier garantit généralement la satisfaction (81 %), tandis qu'acheter un produit inconnu est perçu comme risqué (82 %)[9]. Plusieurs ventes sont ainsi perdues parce que les consommateurs ne connaissent pas suffisamment un produit.

2. La répétition améliore l'image de votre produit

Plus un individu est exposé à un message publicitaire, plus il a tendance à accroître son sentiment favorable vis-à-vis du produit[10]. Selon Simmons Market Research Bureau, c'est une des raisons pour lesquelles les publicitaires répètent leur publicité le plus souvent possible : il a été démontré qu'avec le temps les consommateurs apprennent à reconnaître ces marques et à les aimer[11].

Dans le secteur des ordinateurs personnels, le premier ordinateur personnel était le MITS Altair 8800. De nos jours, ce produit n'existe plus. Malheureusement, ses fondateurs ne croyaient pas à la publicité. À l'inverse, Apple, lancé deux ans plus tard, fait toujours partie de nos vies. Il a révolutionné le monde de la publicité et fait du Super Bowl un événement publicitaire.

Si vous augmentez la fréquence de vos messages, les gens finiront par croire que vous êtes un leader dans votre secteur, que vous êtes plus expérimenté, que vous offrez de meilleurs services et, surtout, que vous avez les reins solides financièrement[12].

Lorsque Rona a lancé sa première campagne de publicité dans l'Ouest du Canada — la plus importante de son histoire — le quincaillier québécois cherchait à augmenter sa notoriété et son image dans l'ensemble du pays[13]. En effet, si 88 % des Québécois connaissent la marque, seulement 40 % des Ontariens et 20 % des consommateurs dans l'ouest du pays connaissent Rona.

Dans les périodiques spécialisés, on a découvert que les scores de mémorisation augmentaient de 26 % lorsque vous placez deux publicités ou plus dans le même numéro d'un magazine[14].

Mais gare au risque de saturation! Si un seul message est sans utilité pour obtenir des effets observables, une fréquence trop élevée de messages pendant une certaine période de temps risque de provoquer chez votre lecteur une réaction de rejet.

Selon Cahners Publishing, l'épuisement (perte d'efficacité d'une publicité) commence entre la 10e et la 21e semaine après le début de la campagne[15].

Jean-Noël Kapferer, le spécialiste de la recherche en communication, écrit: «La simple introspection nous rappelle que notre appréciation d'une pièce de musique semble se développer graduellement, chaque exposition semblant accroître notre évaluation positive de la pièce. Mais reconnaissons aussi que certaines pièces perdent à un certain moment leur attraction: au-delà d'un certain seuil, nous ressentons une baisse d'intérêt pour elles[16].»

Pour combattre la monotonie qu'engendre la répétition d'une publicité, un truc efficace consiste à utiliser avec quelques variantes la même ligne de titre, le même genre de texte, le même type de mise en pages, le même slogan, la même typographie ou n'importe quelle autre partie de votre annonce. Ce faisant, chaque répétition éveille simultanément un sens familier et la nouveauté: vous recréez une partie de l'impact original et renforcez son effet sur les gens qui ont déjà vu votre publicité.

Ces dernières années, plusieurs campagnes à succès ont utilisé une certaine forme de continuité. Les campagnes publicitaires des supermarchés Provigo, d'Air Canada, des cigarettes Marlboro, des entreprises de location d'automobiles Avis ou du Club Med en sont de bons exemples.

◆ *Ci-contre: Quand vous désirez combattre la monotonie qu'engendre la répétition, un moyen efficace consiste à utiliser le même concept avec quelques variantes. Cette série de trois panneaux pour Air Canada est un bon exemple de continuité dans une campagne publicitaire. Prenez note que chaque visuel positionne un marché cible.*

Prenons la campagne des cigarettes Marlboro. Jacques Séguéla, qui a réalisé la publicité du candidat socialiste François Mitterrand, affirme : « La plus grande campagne de cigarettes de tous les temps est celle de Marlboro. Toujours la même et toujours changeante : le cow-boy des champs, le cow-boy des rivières, le cow-boy des neiges, le cow-boy à cheval, le cow-boy assis, le cow-boy debout. Un cow-boy qui vend 100 milliards de cigarettes par an parce qu'il est toujours là. En définitive, l'art de la publicité est de savoir se recopier sans se répéter. [...] Le principe de base d'une campagne de longue haleine est d'établir son langage, son identité de marque qui vous font reconnaître entre tous. De se répéter sans jamais se redire [17]. »

3. La séquence et la fréquence d'apparition de votre publicité influencent la durée de l'apprentissage

Ce phénomène a été mis particulièrement en évidence lors d'une expérience réalisée en 1958 par Hubert A. Zielske. Pour cette étude, Zielske a exposé un échantillon de ménagères à une série de 13 annonces selon des fréquences différentes [18]. Dans un premier sous-groupe, la fréquence a été établie à une exposition (un message) par semaine durant 13 semaines, alors que dans un second sous-groupe, la fréquence a été fixée à une exposition toutes les 4 semaines pendant 52 semaines. Pour éviter de fausser les résultats, Zielske s'est assuré que chaque personne ne soit interviewée qu'une seule fois durant toute la durée de l'étude.

Après avoir compilé les résultats, le chercheur a constaté qu'une publicité présentée plusieurs fois dans un court laps de temps obtenait une mémorisation supérieure à une publicité offerte à intervalles plus espacés, mais qu'elle avait toutefois l'inconvénient de laisser peu de traces à longue échéance.

Que peut-on conclure de l'expérimentation de Zielske? Pour vos lancements, vos campagnes publicitaires et promotionnelles, vous avez tout intérêt à concentrer vos répétitions dans le temps. En revanche, pour les actions de soutien ou pour bâtir une image à long terme, il est préférable d'étaler vos interventions.

LA MÉMORISATION EN FONCTION DE L'EXPOSITION

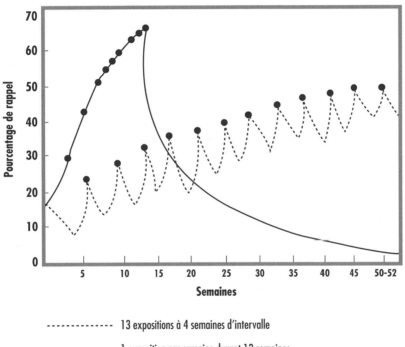

------------- 13 expositions à 4 semaines d'intervalle

——————— 1 exposition par semaine durant 13 semaines

Ce tableau compare le taux de mémorisation d'une publicité présentée une fois par semaine durant 13 semaines à celle d'une publicité présentée une fois toutes les 4 semaines. On constate que l'exposition concentrée dans le temps obtient un taux de rappel supérieur à celui d'une exposition aux quatre semaines. Cependant, on note que, à long terme, c'est l'exposition étalée qui réalise les taux de mémorisation les plus élevés.

4. L'interruption de votre campagne entraîne une chute de la mémorisation

Quand vous cessez de répéter vos publicités, le souvenir de votre campagne décroît très rapidement au début, puis plus lentement par la suite.

Après le 13e envoi de Zielske, le taux de mémorisation enregistré était de 63 %. Le taux de rappel chuta à 32 % quatre semaines après le dernier envoi, contre 22 % après six semaines, 15 % après 8 semaines, 10 % après 17 semaines, pour atteindre 4 % à la fin de l'année [19].

Pour Byron Galway, vice-président du Groupe 243 : « Quand on coupe dans la publicité — au cours d'une récession ou pour quelque raison que ce soit —, la notoriété d'un produit diminue, les ventes et la part de marché baissent. Quand la publicité arrête, les gens oublient [20]. »

Prenez Hershey's. L'entreprise faisait figure de leader dans un secteur où la publicité fut longtemps quasi absente. Durant la crise de 1973 qui amena les fabricants de cacao à augmenter leurs prix, Hershey's, le fabricant numéro un de chocolat, coupa ses budgets publicitaires tandis que la compétition décida d'investir massivement en publicité. Résultat : en peu de temps, Hershey's perdit sa première position et, malgré un retour remarqué en 1981, elle ne put jamais la reprendre.

Maxwell House est un autre bon exemple d'entreprise qui commit l'impair de réduire ses budgets publicitaires à ses dépens. En 1987, les investissements dans les médias publicitaires passaient de 60 millions de dollars à 13,5 millions. Peu après, Folgers, le plus proche compétiteur, ne tarda pas à s'emparer d'un pourcentage important de part de marché. Cela alerta suffisamment Maxwell House pour qu'elle revienne à ses bonnes habitudes en injectant 73 millions de dollars en publicité l'année suivante et en réduisant ses activités de promotion.

Quand Kodak a cessé de faire de la publicité pour ses piles en octobre 1990, les ventes de Duracell et d'Energizer ont augmenté aussitôt.

Récemment, les fabricants des tampons Tampax ont reconnu que le recul des ventes de la marque s'expliquait par une réduction de ses budgets de publicité.

5. La répétition augmente les ventes

La répétition permet d'augmenter l'achalandage en magasin et de conclure la vente. En 1963, la compagnie DuPont a établi un lien entre le taux d'accroissement des ventes et le nombre d'insertions réalisées durant la campagne[21]. Par la suite, la Missouri Valley Petroleum Corporation remarqua que le fait de doubler l'investissement publicitaire engendrait une augmentation importante des ventes au cours d'une période de trois ans[22].

Il n'est pas surprenant que les entreprises majeures investissent des sommes colossales en publicité. De 1950 à 1996, les dépenses mondiales en publicité ont été multipliées par sept. Selon la firme Universal McCann, les investissements publicitaires étaient de 656 milliards de dollars en 2003, dont la moitié en Amérique du Nord. Aux États-Unis, on investit l'équivalent de 2,5 % du PIB annuellement en publicité.

Pour se faire remarquer, Labatt a déjà monopolisé 350 panneaux dans 12 stations du métro de Montréal pour lancer une nouvelle marque de bière. Afin de maximiser l'impact de la campagne, on avait choisi les stations les plus fréquentées du centre-ville et les stations situées près des bars et des restaurants.

Aux États-Unis, Apple a acheté tout l'espace publicitaire dans certains magazines pour annoncer le lancement du Macintosh en 1984. En octobre 1991, Calvin Klein a investi un million de dollars dans un encart de 116 pages dans le magazine *Vanity Fair*.

En 2002, le gouvernement du Québec a injecté 40,9 millions de dollars dans la bataille publicitaire au Québec, le gouvernement du Canada, 39 millions, Quebecor, 36 millions, et BCE, 28 millions de dollars.

LES INVESTISSEMENTS PUBLICITAIRES AU QUÉBEC

	2002
Gouvernement du Québec	40,9 millions
Gouvernement du Canada	39 millions
Quebecor	36 millions
BCE	28 millions
Brault & Martineau, Tanguay	25,4 millions
Procter & Gamble	24,8 millions
Toyota	21,7 millions
Chrysler, Dodge et Jeep	21,6 millions
General Motors du Canada	20,7 millions
La Baie	18,1 millions

● — FLASH INFO — ●

COÛT D'UNE PUB DE 30 SECONDES AU SUPER BOWL

Année	Chaîne	Coût ($ US)
1996	NBC	1 085 000
1997	FOX	1 200 000
1998	NBC	1 291 100
1999	FOX	1 600 000
2000	ABC	2 100 000
2001	CBS	2 200 000

Source: Nielsen Monitor-Plus

20 BONS TUYAUX

Ce n'est pas parce que vous investissez des sommes importantes que vous êtes efficace. En réalité, tout dépend de la qualité de vos messages et de la stratégie utilisée. Ainsi, on sait qu'avec une somme donnée :

1. Il est préférable d'annoncer marché par marché plutôt que de viser d'emblée l'échelon national.

2. Il vaut mieux trop dépenser dans une ville que pas assez dans plusieurs villes.

3. Il est préférable de trop dépenser dans un média que pas assez dans plusieurs.

4. Il est préférable de trop investir dans un support que pas assez dans plusieurs[23].

5. Un ensemble de commerciaux est plus efficace qu'un seul commercial.

6. La répétition aide le consommateur à mémoriser votre marque, mais trop de publicités, trop vite, peut être mal reçu.

7. La publicité pour les produits dont la durée de vie est plus longue (voiture, appareil photo, chaîne stéréophonique) perd de son efficacité plus lentement que la publicité pour les produits achetés fréquemment.

8. Plus il y a d'espace entre les répétitions, plus une publicité peut être utilisée longtemps.

9. Si votre budget est mince, une seule publicité est plus efficace que plusieurs pour renforcer le processus de mémorisation.

10. Si vous savez à quel moment les gens sont susceptibles d'acheter votre produit, tirez-en un avantage : faites de la publicité juste avant que le volume des ventes augmente.

11. Une publicité persuasive qui bénéficie d'un budget publicitaire moyen sera plus efficace qu'une publicité ordinaire profitant d'un budget publicitaire important[24].

12. La publicité humoristique perd de son efficacité plus vite que la publicité classique. C'est pourquoi la campagne de Pétro-Canada mettant en vedette François Pérusse varie ses publicités radiophoniques. Toujours drôle, toujours surprenant !

13. Selon les études, un message télévisé de 15 secondes est de 60 % à 80 % aussi efficace qu'un message de 30 secondes. De son côté, un message de 30 secondes est de 70 % à 90 % aussi efficace qu'une publicité de 60 secondes.

14. Quand vous achetez de la publicité à la télévision et à la radio, pratiquez le *doublespotting*. Cette technique consiste à acheter deux messages publicitaires dans la même émission. En utilisant cette stratégie, vous augmenterez la probabilité que les téléspectateurs soient exposés à votre message.

15. Si vous en avez les moyens, faites du *roadblocking*. Ce truc consiste à placer simultanément sur plusieurs chaînes télévisées la même publicité.

16. Si votre enveloppe budgétaire est limitée, c'est une bonne idée d'utiliser plusieurs fois les mêmes messages.

17. Il ne faut pas cesser d'annoncer durant les périodes de récession. Des études de l'American Business Press (1974-1975), de McGraw-Hill (1974-1975 et 1981-1982) et de la Harvard

Business Review (1974-1975) ont examiné les liens existant entre la publicité, les ventes et les récessions. On y découvre que les entreprises qui ne réduisent pas leurs budgets publicitaires en période de récession s'en tirent mieux dans les années subséquentes que celles qui choisissent de réduire les investissements publicitaires.

18. Il est préférable de réduire ses investissements en temps de guerre. Lorsque la guerre du Golfe a éclaté, plusieurs annonceurs nationaux comme Procter & Gamble, Sears, Pepsi-Cola, McDonald's, Pizza Hut, Toyota, Miller, Kodak, Ford, AT&T et American Express ont réduit leurs placements publicitaires. Coca-Cola a envoyé une missive dans le monde entier afin que ses publicités n'apparaissent dans aucun bulletin de nouvelles ou cahier consacré à la guerre. Chevron a annulé quatre millions de dollars d'achat dans les médias et TWA a éliminé tout achat d'imprimés publicitaires et d'annonces télévisées. À l'occasion du 50e anniversaire de l'attaque japonaise sur la base de Pearl Harbor, les fabricants japonais préférèrent cesser d'annoncer dans les médias américains pendant plus d'un mois. Lorsque le deuxième chapitre de la guerre en Irak se mit en branle en 2003, plusieurs annonceurs, dont Volkswagen et Royal Caribbean Cruises, retirèrent leur commerciaux des ondes télé. Adolph Coors fit de même, tandis que Procter & Gamble décida d'éviter systématiquement de faire de la publicité durant les bulletins de nouvelles et les émissions consacrées à la guerre en Irak[25]. Les six principaux réseaux de télévision américains touchent 36 millions de dollars par soir durant les trois heures de grande écoute[26].

19. Il est préférable de montrer trop de sensibilité plutôt que pas assez. Lors du premier anniversaire des tragédies du 11 septembre 2001, Fox News a annoncé qu'elle ne diffuserait pas de publicité sur ses ondes. Des annonceurs tels que Dell, General Motors, Gillette et Pepsi ont décidé de ne pas annoncer leurs produits lors de cette journée, estimant que les images de tristesse ne convenaient pas. De son côté, Nextel a préféré commanditer la présentation du documentaire *9/11* à CBS.

20. « Si vous avez la chance d'avoir écrit une bonne campagne, utilisez-la jusqu'à ce qu'elle ne vende plus, écrit David Ogilvy. Nombre de campagnes ont été écartées avant d'avoir perdu leur pouvoir[27]. »

EST-CE QUE L'EFFICACITÉ DE LA PUBLICITÉ FLUCTUE EN FONCTION DES SAISONS ?

A priori, on pourrait croire que la consommation média des Québécois est stable durant toute l'année. Rien n'est plus loin de la vérité.

L'écoute de la *télévision* fluctue en fonction des saisons. Si l'écoute de la télévision est égale au printemps et à l'automne, elle diminue toutefois d'environ 20 % durant l'été (juin, juillet et août). Par ailleurs, les cotes d'écoute de la télévision sont à leur point culminant durant les mois de janvier, février et mars.

La télévision n'est pas le seul média à voir son rendement changer au gré des saisons. Il semble que les gens accordent moins d'importance à la lecture des *magazines* et des *quotidiens* durant l'été — variation d'environ 5 %. En général, les mois creux sont les suivants : juillet, début août et janvier. Par contre, l'automne et le printemps sont les saisons privilégiées des annonceurs.

L'efficacité de *l'affichage* fluctue aussi en fonction des saisons. Le taux de rappel des campagnes utilisant les panneaux-réclames est de 5 % à 6 % plus élevé en été et à l'automne.

Contrairement à la perception populaire, l'écoute de la *radio* n'est pas plus élevée durant l'été. Cela étant dit, une campagne lancée en été doit souvent s'appuyer sur la radio. En effet, la radio compense la télévision pour la baisse des cotes d'écoute de cette dernière durant la période estivale.

INDICE D'ÉCOUTE DE LA TÉLÉVISION
chez les 2 ans et plus, du lundi au dimanche, de 6 h à 18 h, province de Québec

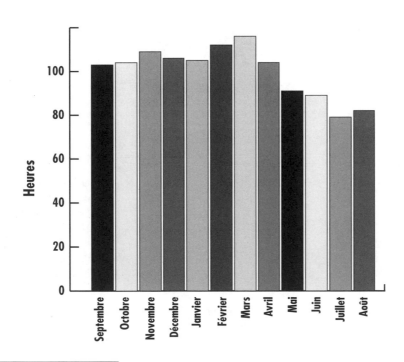

Source : ACNielsen, 1997 à 1998. Indice 100 (moyenne annuelle)

Pour des raisons climatiques, les cotes d'écoute de la télévision diminuent durant l'été, tandis que le rendement des panneaux-réclames augmente. Pour cette raison, les plans médias contiennent souvent de l'affichage durant les mois d'été, puisque les études indiquent que l'efficacité des panneaux augmente légèrement à ce moment.

◆ *Pour maximiser vos résultats, utilisez la répétition saisonnière. Ajustez vos campagnes publicitaires aux périodes de vente importantes, que ce soit juste avant ou pendant celles-ci.*

INVESTISSEMENTS PUBLICITAIRES PAR MOIS
1998 (tous les médias), province de Québec

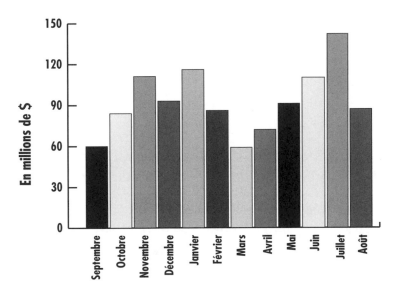

Source : ACNielsen, 1998 dans *Guide annuel des médias*, 2000, *Info Presse Communications*, p. 12.

UN MÉDIA OU PLUSIEURS MÉDIAS ?

Concentrez vos achats dans quelques médias. Généralement, il est préférable de trop dépenser dans un média que pas assez dans plusieurs.

La concentration est un principe fondamental en répétition publicitaire. Il vaut mieux être très présent dans un petit nombre d'endroits que diffus dans plusieurs.

Quand vous avez 10 000 $ à investir en publicité, ne faites pas l'erreur de trop vous étendre. Choisissez un média majeur comme la radio et un média secondaire comme le dépliant. En plus de vous limiter à un seul média majeur, concentrez vos publicités dans quelques émissions.

Si votre budget est inférieur à 50 000 $, concentrez vos efforts dans deux médias, trois au maximum. Identifiez trois périodes de l'année particulièrement payantes et achetez votre publicité en conséquence.

« Un des grands problèmes des annonceurs est la dispersion, déclare Richard Nadeau, vice-président de la création chez Young & Rubicam. Ils essaient d'être partout : à la télé, à la radio, dans les journaux. Alors ils font un peu d'affichage, un peu de radio, un peu de télé, un peu de tout[28]. »

« Plus que tout, vous devrez dominer un média », affirme avec force Michael Corbett, auteur de *33 Ruthless Rules of Local Marketing*[29].

Une campagne réalisée par Delisle au cours de laquelle l'entreprise a réservé presque tous les espaces disponibles dans cinq stations de métro a montré que 56 % des voyageurs avaient eu connaissance de la campagne de Delisle.

Souvenez-vous : ce n'est pas parce que vous utilisez cinq stations de radio pour votre publicité que vous êtes cinq fois plus efficace que celui qui en utilise une seule. De la même façon, ce n'est pas parce que vous utilisez la télévision, l'affichage et la radio que vous êtes plus efficace que celui qui se concentre seulement sur la télévision. L'important est de *concentrer* vos efforts.

« Avant de passer à un deuxième média, il faut réaliser un travail très efficace avec un premier. Il faut viser un taux de saturation beaucoup plus élevé que le niveau normalement requis pour seulement informer un groupe cible », rappelle Pierre Delagrave, vice-président média et recherche au Groupe Cossette Communication inc[30].

COMBIEN DE FOIS FAUT-IL RÉPÉTER VOTRE MESSAGE ?

Un postulat dominant veut qu'il soit nécessaire d'être exposé à un message au moins trois fois pour qu'il soit efficace.

Selon Herbert Krugman, l'exposition numéro un est unique[31]. Comme la première exposition à n'importe quel stimulus, la réaction dominante est : « Qu'est-ce que c'est ? » Lors de la deuxième exposition, le consommateur s'exclame : « J'ai déjà vu ceci. » Cette deuxième exposition l'amène à évaluer la proposition qui lui est faite. Lors de la troisième exposition, le consommateur aime ou n'aime pas. C'est là que se joue la vente.

Dans ces circonstances, il est utile de se rappeler le conseil que Claude Cossette et René Déry donnent aux PME : « Une annonce nécessitera trois parutions pour créer un impact minimal. Jusqu'à sept parutions, la portée s'élargira, disons jusqu'à atteindre 65 % des lecteurs, en même temps que la fréquence. Par la suite, et jusqu'à la 15e parution, la fréquence augmentera plus vite que la portée. Au-delà, l'effet sera beaucoup moins évaluable[32]. »

En marketing direct, une annonce doit être répétée au moins six fois pour avoir une certaine efficacité. Jusqu'à 10 parutions, le nombre de coupons-réponse reçus augmente[33]. Sur un cycle de 10 semaines, les 3 premières semaines de parution représentent 20 % du chiffre d'affaires, alors que les 4 dernières représentent pratiquement 50 % du total des ventes.

Par ailleurs, il sera toujours payant de concentrer vos achats dans vos marchés les plus importants. Évitez de vous étendre et apprenez à identifier ce qu'on pourrait appeler votre marché primaire.

Pour augmenter d'un cran l'efficacité de votre publicité, vous aurez tendance à surinvestir dans votre marché primaire et à sous-investir dans vos marchés secondaires. Au Québec, cela signifie surinvestir dans la région de Montréal et sous-investir dans les autres régions du Québec. À l'échelle canadienne, cela signifie surinvestir en Ontario pour sous-investir dans les autres provinces.

Selon l'édition 1999 du *Sommaire des investissements publicitaires au Canada* publié par ACNielsen, le Québec reçoit 19 % des investissements publicitaires réalisés au Canada, après l'Ontario qui en récupère 44 %. Concrètement, les annonceurs surinvestissent en Ontario et sous-investissent dans le reste du Canada.

COMMENT RÉPARTIR VOS RÉPÉTITIONS

Certaines PME voudraient annoncer toute l'année. Il serait en effet merveilleux de pouvoir faire de la publicité durant 52 semaines. Malheureusement, c'est rarement possible.

Si vous voulez augmenter l'efficacité de vos achats publicitaires, apprenez à vous limiter en choisissant deux ou trois périodes clés dans l'année. La concentration est un principe fondamental en placement média. Quel que soit votre budget publicitaire, la recherche nous apprend qu'il est toujours préférable de concentrer vos répétitions dans le temps. Au lieu d'annoncer aux deux semaines pendant six mois, placez votre message chaque semaine durant trois ou quatre semaines, et répétez l'expérience à deux ou trois reprises.

En publicité, «limitez-vous et soyez toujours très sélectif. Il vaut mieux être très présent dans quelques périodes choisies que moins présent tout au long de l'année», affirme le publicitaire américain Hobson.

Soyons réalistes: la plupart des PME, spécialement les petites entreprises, n'ont pas le budget publicitaire qui permet d'acheter de la publicité toute l'année. Il est difficile de se faire remarquer à Montréal avec moins de 500 000 $ et à Québec avec moins de 100 000 $.

Par ailleurs, il y a une autre bonne raison de ne pas bombarder constamment les consommateurs avec vos messages publicitaires. La recherche indique que certaines publicités perdent à un certain moment leur pouvoir d'attraction: au-delà d'un certain seuil, elles perdent de leur efficacité.

Si un seul message est sans utilité pour obtenir des effets observables, une fréquence trop élevée de messages pendant une certaine période de temps risque de provoquer chez votre lecteur une réaction de rejet.

La courbe de diffusion reflète la façon dont le budget est distribué tout au long de votre campagne. Pour les PME, il est rarement possible de se faire entendre durant 52 semaines. Il faudra donc apprendre à choisir deux ou trois moments forts dans l'année. Il existe six façons différentes de programmer vos répétitions dans le temps:

1. La répétition constante

(a) Calendrier de continuité

Elle consiste à répéter votre message de façon régulière afin de produire un degré d'exposition uniforme. Recommandée quand vous faites de la publicité pour des produits bien connus dont la vente est constante dans le temps.

2. La répétition saisonnière

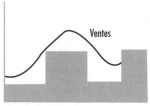

(b) Calendrier d'impulsions saisonnières

Cette stratégie consiste à ajuster vos répétitions aux périodes de vente importantes, que ce soit juste avant ou pendant celles-ci. Voici quelques exemples de produits pour lesquels la répétition saisonnière est appropriée : les tondeuses à gazon, les piscines, les entreprises de déménagement et les souffleuses à neige.

En réalité, presque tous les produits ont des ventes saisonnières. Certains sont reliés à des fêtes. D'autres sont reliés à des saisons ou à la température.

Au Québec, Noël génère 40 % des achats de cellulaires. Dans l'industrie des centres d'entraînement, le mois de janvier représente 20 % du chiffre d'affaires, tandis que l'automne génère environ 15 % des inscriptions.

Pour tirer profit de ce phénomène, faites de la publicité juste avant que le volume des ventes n'augmente. En plus de rafraîchir la mémoire de votre clientèle régulière, cette stratégie vous permettra de vous faire voir au moment où les gens commencent à penser à votre produit.

3. La répétition périodique

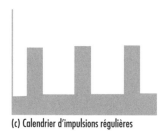

(c) Calendrier d'impulsions régulières

Elle consiste en de courtes impulsions à intervalles réguliers. Conseillée quand vous faites de la publicité pour des campagnes d'entretien, dans le cas de produits en phase de maturité et de déclin, ou lorsque votre publicité fait appel à l'humour.

4. La répétition irrégulière

(d) Calendrier d'impulsions irrégulières

Cette stratégie consiste à répéter votre annonce en vagues irrégulières. Utilisez-la pour suivre une fréquentation irrégulière de la clientèle ou pour modifier un cycle de comportement. Les centres d'entraînement utilisent généralement la répétition irrégulière. Ils font coïncider leurs investissements publicitaires avec les trois périodes où le nombre d'abonnements est le plus important : le Nouvel An, l'approche de l'été et le retour à l'école.

5. L'impulsion de lancement

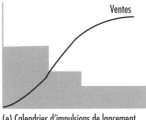

(e) Calendrier d'impulsions de lancement

Cette stratégie consiste à faire beaucoup de publicité lors du lancement d'un nouveau produit dans le but d'en favoriser l'essai et l'adoption. C'est probablement la meilleure recette à utiliser si vous êtes une PME. Employez-la pour une campagne de lancement ou pour stimuler l'essai d'une nouvelle promotion.

6. La répétition intensive

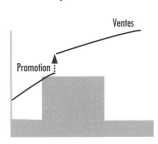

Cette stratégie consiste à faire une publicité intensive pour susciter une réponse forte et rapide, comme lorsqu'il y a distribution d'échantillons ou de bons de réduction. Je vous recommande cette stratégie pour encourager l'essai, un deuxième achat ou des achats multiples du produit[34].

En 1885, Thomas Smith écrivait :

- « La première fois qu'un homme regarde une annonce publicitaire, il ne la voit pas ;

- la seconde fois, il ne la remarque pas ;

- la troisième, il est conscient de son existence ;

- la quatrième, il se rappelle vaguement l'avoir vue ;

- la cinquième, il la lit ;

- la sixième, il fait le dégoûté ;

- la septième, il la lit et s'écrit : "Oh là !" ;

- la huitième, il dit : "Voici encore cette maudite chose" ;

- la neuvième, il se demande si cela vaut quelque chose ;

- la dixième, il pense qu'il demandera à son voisin s'il l'a essayée ;

- la onzième, il se demande comment l'annonceur fait pour la payer ;

- la douzième, il pense qu'elle peut valoir quelque chose ;

- la treizième, il pense que ce doit être une bonne chose ;

- la quatorzième, il se souvient qu'il désirait une telle chose depuis longtemps ;

- la quinzième, il est au supplice parce qu'il ne peut se permettre de l'acheter ;

- la seizième, il pense qu'il l'achètera un jour ;

- la dix-septième, il rédige un mémo à ce sujet ;

- la dix-huitième, il maudit sa pauvreté ;

- la dix-neuvième, il compte son argent avec soin ;

- la vingtième fois qu'il la voit, il achète l'article ou demande à sa femme de le faire[35]. »

C'est toujours vrai aujourd'hui.

La publicité : art ou science ?

Quand on lui demandait si la publicité est un art ou une science, Jules Arren, un des premiers professionnels de la publicité, répondait :

« La publicité ne deviendra jamais une science comme les mathématiques. La manière selon laquelle elle opère est d'une variété, d'une mobilité, d'une complexité trop grande : c'est l'esprit humain. L'équation personnelle joue un trop grand rôle dans les calculs pour qu'on puisse les réduire en théorèmes et formules.

« Cela ne veut pas dire qu'en publicité — comme en psychologie — il n'y ait des lois, des principes généraux qu'il faut connaître et utiliser. Si l'on classe les sciences, en partant des sciences mathématiques qui seules sont absolument rigoureuses parce qu'elles considèrent des abstractions, on remarque que plus l'objet étudié est concret, réel, vivant, complexe, plus les lois deviennent rares et incertaines, plus les raisonnements sont empiriques. Entre les mathématiques et la météorologie, la science de la publicité occupe une place voisine de la psychologie ou science de l'esprit humain.

« Pour exprimer le caractère d'incertitude, on dira souvent que la publicité est un art ; et par là, on veut en même temps rendre justice aux qualités artistiques que suppose la belle présentation des réclames et indiquer que des dons naturels sont avant tout nécessaires à ceux qui veulent y réussir.

« Le mot est beaucoup moins heureux et on doit l'éviter. Il est incontestable que la publicité doit être faite avec une méthode et suivant des calculs qui en font une science encore imparfaite, il est vrai, mais pas un art.

« On doit, précisément, s'efforcer par l'observation et par des expériences de dégager de nouvelles lois, calculer, avec une exactitude croissante, les valeurs fixes de rendement ; formuler, avec une précision plus grande, les axiomes, et ne pas s'en remettre aux trouvailles du génie et au rôle du hasard[1]. »

Cette manière de voir les choses résume bien mon attitude vis-à-vis de la publicité. Je ne considère pas la publicité comme une science exacte, mais je ne crois pas non plus que les opinions personnelles et les intuitions soient d'un grand secours pour produire de grandes campagnes publicitaires.

Des « créateurs » d'un peu partout dans le monde crient bien haut que la publicité est un art, et que ceux qui ne sont pas d'accord avec eux sont dans l'erreur. Qui sont ces gens pour dire de pareilles choses ? Ont-ils des preuves de ce qu'ils affirment ?

Sergio Zyman, ancien directeur du marketing de Coca-Cola, allègue que les agences de publicité sont tombées en amour avec elles-mêmes. Au lieu de contribuer à faire vendre les produits de leurs clients, elles se sont cachées dans le mystère joyeux de la créativité. Pour Zyman, la publicité est une science qui se calcule en chiffres. Les activités comprennent l'expérimentation, le contrôle, l'analyse, le perfectionnement et la possibilité de reproduire les mêmes résultats. C'est pourquoi l'impact publicitaire doit être évalué en fonction des ventes qu'il génère.

Pour ma part, mon sentiment est que la meilleure façon de réaliser des campagnes à succès consiste à se baser sur un certain nombre de *principes* qui ont fait leurs preuves.

Vous ne pourrez jamais persuader quelqu'un d'acheter votre produit si vous ne promettez pas quelque chose en retour. Pensez-vous que les consommateurs vont acheter votre produit pour vos beaux yeux ? J'en doute fortement. Cependant, beaucoup de publicitaires persistent à n'en pas tenir compte.

Jacques Labelle, associé directeur de la création chez Ricochet création de contenu, une division du Groupe Cossette, rappelle « qu'il ne faut jamais perdre de vue le but de la publicité : ce n'est pas d'épater la galerie ou de gagner des prix, mais de communiquer efficacement[2] ».

Une chose est certaine et ne changera pas : *le rôle de la publicité est de vendre, et la façon la plus sûre d'y arriver consiste à apprendre les règles du métier.*

Notes

Introduction

1. Goodrum, Charles et Helen Dalrymple. *Advertising in America,* New York, Abrams Harry, 1990; Baker, Stephen, *Visual Persuasion,* New York, McGraw-Hill, 1961.

2. Newspaper Association of America. *What Makes a Good Newspaper Ad?,* 1993.

3. Morris, Desmond. *Bodywatching: A Field Guide to the Human Species,* New York, Crown Publishers, 1985, p. 13.

Chapitre 1

1. Delagrave, Pierre. *Le média selon Cossette,* Québec, 1991, p. 96.

2. Reeves, Rosser. *Reality in Advertising,* New York, Alfred A. Knopp, 1961, 153 p.

3. Cossette, Claude et René Déry. *La publicité en action,* Québec, Les Éditions Riguil Internationales, 1990, p. 234.

4. Lachapelle, Sophie. « De toute beauté », *Info Presse Communications,* septembre 1999, p. 22.

5. Meskill, John. « The Media Mix », *4A Media Letter,* janvier 1979, p. 1-2.

Chapitre 2

1. Ries, Al et Jack Trout, *Positioning: The Battle for your Mind,* New York, Warner Books, 1986, p. 6 ; Ries, Al et Jack Trout. *Le positionnement: la conquête de l'esprit,* Paris, McGraw-Hill, 1987, p. 6.

2. Rapp, Stan et Tom Collins. *The Great Marketing Turnaround,* New York, Plume Book, 1992, p. 16-17.

3. Packard, Vance. *The Hidden Persuaders,* New York, David McKay Company, 1957, p. 46. ; en français *La persuasion clandestine* (traduit par Hélène Claireau), Paris, Calmann-Lévy, 1958, p. 49.

4. Ries, Al et Jack Trout. *Bottom-Up Marketing,* New York, McGraw-Hill, 1989, p.127.

5. Sshlosberg, Harold. « A Comparison of Five Shaving Creams by the Method of Constant Stimuli », *Journal of Applied Psychology,* vol. 25, n° 4, août 1951, p. 401-407.

6. Allison, Ralph et Kenneth Uhl. « Influence of Beer Brand Identification on Taste Perception », *Journal of Marketing Research,* vol. 1, n° 3, août 1964, p. 36-39.

7. Pronko, Nicholas et W. Bowles. « Identification of Cola Beverages. 1. First Study », *Journal of Applied Psychology,* vol. 32, n° 3, juin 1948, p. 304-312 ; « Identification of Cola Beverages. II. A Further Study », *Journal of Applied Psychology,* vol. 32, n° 5, octobre 1948, p. 559-564 ; « Identification of Cola Beverages. III. A Final Study », *Journal of Applied Psychology,* vol. 33, n° 6, décembre 1949, p. 605-608 ; Pronko, Nicholas et D.T. Herman. «Identification of Cola Beverages. IV. Postcript », *Journal of Applied Psychology,* vol. 34, n° 1, février 1950, p. 68-69.

8. Ries, Al et Jack Trout. *Le positionnement: la conquête de l'esprit,* Paris, McGraw-Hill, 1987, p. 30.

9. Carpenter, Gregory S. et Kent Nakamoto. « Consumer Preference Formation and Pioneering Advantage », *Journal of Marketing Research,* vol. 26, n° 3, août 1989, p. 285-298 ; Robinson, William T. « Sources of Market Pioneer Advantages: The Case of Industrial Goods Industries », *Journal of Marketing Research,* vol. 25, n° 1, février 1988, p. 87-94 ; Robinson, William T. et Claes Fornell. « Sources of Market Pioneering Advantages in Consumer Goods Industries », *Journal of Marketing Research,* vol. 22, n° 3, août 1985, p. 305-318 ;

Urban, Glen, Theresa Carter, Steve Gaskin et Zofia Mucha. «Market Share Rewards Pioneering Brands: An Empirical Analysis and Strategie Implications», *Management Science,* vol. 32, juin 1986, p. 645-659.

10. Boston Consulting Group. «The Rule of Three and Four», *Perspectives,* n° 197, 1976.; The Boston Consulting Group. «The Rule of Three and Four», *Perspectives,* n° 187, 1976; The Boston Consulting Group. Cité par John Rossiter et Larry Percy dans *Advertising & Promotion Management,* New York, McGraw-Hill, 1987, p. 53.

11. Buzzell, Robert, «Are There 'Natural' Market Structures?», *Journal of Marketing,* vol. 45, n° 1, hiver 1981, p. 42-51.

12. Lubliner, Murray J. «Old Standbys' Hold Their Own», *Advertising Age,* 19 septembre 1983, p. 32.

13. Perreault, François. «Des géants chancellent sur leurs pieds d'argile», *La Presse,* 4 septembre 2002, p. D7.

14. Plouffe, Éric. «Après le Québec, Dollarama veut conquérir l'Ontario», *La Presse,* 8 août 2000, p. C1.

15. Chartrand, Luc. «Sondage: qui nous sommes: Dis-moi ce que tu achètes je te dirai ce que tu crois être», *L'Actualité,* Vol. 17, n° 1, 1er janvier 1992, p. 38.

16. Chartrand, Luc. «Sondage: qui nous sommes: Dis-moi ce que tu achètes, je te dirai ce que tu crois être», *L'Actualité,* Vol. 17, n° 1, 1er janvier 1992, p. 38.

17. Evans, Joel R., Barry Berman et William J. Wellington. *Marketing Essentials,* Prentice Hall Canada, Scarborough, 1998, p. 132.

18. McConnell, Douglas. «The Price-Quality Relationship in an Experimental Setting», *Journal of Marketing Research,* vol. 5, n° 3, août 1968, p. 300-303.

19. Andrews, Robert et Enzo R. Valenzi. «The Relationship Between Price and Blind-Rated Quality for Margarines and Butters», *Journal of Marketing Research,* vol. 7, n° 3, août 1970, p. 393-395.

20. Levitt, Harold J. «A Note on Some Experimental Findings About the Meaning of Price», *The Journal of Business,* vol. 27, n° 3, juillet 1954, p. 205-210.

21. Scitovszky, Tibor. «Some Consequences of the Habit of Judging Quality by Price», *The Review of Economic Studies,* vol. 12, été 1945, p. 100-105.

22. Stafford, James E. et Ben Enis. «The Price-Quality Relationship: an Extension», *Journal of Marketing Research,* vol. 6, n° 4, novembre 1969, p. 456-458.

23. Tull, Donald, R. A. Boring et M. H. Gonsior. «A Note on the Relationship of Price and Imputed Quality», *The Journal of Business,* vol. 37, n° 2, avril 1964, p. 186-191.

24. Lévesque, Lia. «Sexe et publicité : les Canadiens divisés», *La Presse,* 3 décembre 2001, p. B8.

25. Clark, Eric. *The Want Makers,* New York, Penguin Books, 1990, p. 181-182 ; American Association of Magazine Publishers. «A Documentary on the Power of Magazines», *Newsletter of Research,* n° 55, décembre 1987, p. 10.

26. Newspaper Association of America (1993). *Teens and Newspapers : 10 surprises.*

27. Centre d'études sur les médias. «Les médias chez les 18-24 ans : une consommation différente à expliquer», janvier 2000, n° 44.

28. Ibid.

29. Saine, Jean. «Les 18-34 ans : de nouveaux consommateurs», juin 1989.

30. Perreault, François. «Les ados : matérialistes, hédonistes, nihilistes», *La Presse,* 5 mars 2003, p. D8.

31. Ballivy, Violaine. «La guerre des bulles», *La Presse,* 15 septembre 2002, p. A1.

32. Schmouker, Olivier. «François de Gaspé Beaubien», *Info Presse Communications,* mai 2003, p. 12.

33. Ward, Adrienne. «Senior-Slanted Media Reap Auto Bounty», *Advertising Age,* 24 juillet 1989, p. S21-22.

34. Perreault, François. «Tailles fortes et expansion», *Commerce,* vol. 97, n° 9, septembre 1995, p. 34.

35. American Association of Magazine Publisher. «A Documentary on the Power of Magazines», *Newsletter of Research,* n° 55, décembre 1987, p. 10.

36. Galipeau, Silvia. «Marketing ethnique», *La Presse,* 11 juin 2003, p. B1.

37. Kim, Junu Bryan. «Doing the Right Thing - Two Approaches», *Advertising Age,* 1er juillet 1991, p. 18.

38. Galipeau, Silvia. «Marketing ethnique», *La Presse,* 11 juin 2003, p. B1.

39. Ibid.

40. Beauregard, Valérie. «Comment briser le mur de l'indifférence», *La Presse,* 8 mars 1995, p. D16.

41. Ibid.

42. Winters, Patricia. « Tetley Round Bags Challenge N° 1 Lipton », *Advertising Age,* 1ᵉʳ janvier 1993, p. 2 ; Phillips, Adam, John Parfitt et Ian Prutton. « Un thé plus rond. L'expérience du développement et du test de sachets de thé ronds », *Revue française de marketing,* cahier 134, 1991, p. 51-66.

43. Deglise, Fabien. « Le pouvoir des odeurs », *EnRoute,* février 2003, p. 39.

44. « Une nouvelle manière de devancer la concurrence : par un nez ! », *Les Affaires,* 5 janvier 1991, p. 12.

45. Chartrand, Luc. « Sondage : qui nous sommes : Dis-moi ce que tu achètes je te dirai ce que tu crois être », *L'Actualité,* vol. 17, n° 1, 1ᵉʳ janvier 1992, p. 38.

46. Turgeon, Danielle. « Le prix attire mais ne fidélise pas », La Presse, 5 décembre 2001, p. D6.

47. Twedt, Dik Warren. « How Important to Marketing Strategy Is the Heavy User ? », *Journal of Marketing,* vol. 28, n° l, janvier 1964, p. 71-72.

48. Darmon, René. « Quel avenir pour la vente en face-à-face », *Gestion,* vol. 26, n° 3, septembre 2001, p. 53.

49. Perreault, François. « Le consommateur est le média et le message », *La Presse,* 19 mars 2003, p. D6.

50. Lord, Véronique. « Le palmarès des marques maison », *Commerce,* mars 2003, p. 29.

51. Nantel, Jacques. « Unmarketing du 21ᵉ siècle pour un consommateur du 21ᵉ siècle », *The Canadian Business Report,* n° 14, 1995.

52. PMB, 1995.

53. Coombes, Andrea. CBS MarketWatch.com, 9 octobre 2002.

54. Warner, Lloyd, Marchia Meeker et Kenneth Eells. *Social Class in America,* Gloucester (Mass.), P. Smith, 1957, 274 p.

55. « Perrier : the Astonishing Success of An Appeal to Affluent Adults », *Business Week,* 22 janvier 1979, p. 64-65 ; Dussart, Christian. *Comportement du consommateur et stratégie de marketing,* New York, McGraw-Hill, 1983, p. 330 ; Finkelman, Bernice. « Perrier fours Into U.S. Market, Spurs Water Bottier Battle », *Marketing News,* 7 septembre 1979, p. 1-9.

56. Fortier, Rénald. « Réussir sa mise en marché », *PME,* vol. 18, n° 4, mai 2002, p. 16.

57. « CNN, la pionnière, devancée depuis un an par Fox News », *La Presse*, 29 janvier 2003, p. B6.

58. Noël, Kathy. « Le combat des beignes », *Commerce*, 2003.

59. Van den Bergh, Bruce G. « Feedback : More Chickens and Pickles », *Journal of Advertising Research*, vol. 21, n° 6, décembre 1982, janvier 1983, p. 44 ; voir aussi Van den Bergh, Bruce G., Janay Collins, Myrna Schultz et Keith Adler. « Sound Advice on Brand Names », *Journalism Quarterly*, vol. 61, n° 4, hiver 1984, p. 835-840.

60. « A Rose by any other Name... », *Advertising Age*, 31 octobre 1994, p. 39.

61. Vallerand, Nathalie. « Changer de nom ? », *PME*, , vol. 18, n° 11, novembre 2002, p. 32.

62. Tremblay, Jacinthe. « La force des marques », *Commerce*, vol. 100, n° 7, 1er avril 1999, p. 34.

63. *Info Presse*, « Cossette se met à nu, 1993 », p. 79.

64. Perreault, François. « Le packaging rehausse la Old Milwaukee et rajeunit la Molson Dry », *La Presse*, 26 mars 2003, p. D9.

65. Sexton, Richard. *American Style,* San Francisco, Chronicle Books, 1987, p. 17.

66. Roy, Viviane. « D'abord une question d'image », *La Presse,* 8 mai 1996, p. C3.

67. Gide, André. *Journal*, Édition La Pléiade, N.R.F., 1940, p. 1269.

68. Perreault, François. « Bâtir une marque en quatre étapes », *La Presse*, 6 novembre 2002, p. D8.

69. « Style is Substance for Ad Success : Light », *Advertising Age,* 27 août 1979, p. 3.

Chapitre 3

1. Krugman, Herbert E. « What Makes Advertising Effective ? », *Harvard Business Review,* vol. 53, n° 2, mars-avril 1975, p. 96.

2. Michelet, Valérie. « Le média le plus pur », *Info Presse Canada*, mars-avril 1988, p. 31.

3. Ducas, Marie-Claude. « Les magazines : environnement, ciblage et moments privilégiés », *Info Presse Communications*, janvier-février 1997, p. 40.

4. Joannis, Henri. *De l'étude de motivation à la création publicitaire et à la promotion des ventes,* Paris, Dunod, 1976, p. 240.

5. Caples, John. *Tested Advertising Methods,* Englewood Cliffs, N.J., Prentice Hall, 1987, p. 212.

6. Martineau, Pierre. *Motivation in Advertising*, New York, McGraw-Hill, 1957, p. 125-126.

7. Hepner, Harry. *Advertising, Creative Communications with Consumers*, New York, McGraw-Hill, 1964, p. 462.

8. Girard, Marie-Claude. « Les couvertures du siècle », *La Presse*, 23 juillet 2003.

9. Hepner, Harry. *Advertising, Creative Communications with Consumers*, New York, McGraw-Hill, 1964, p. 462.

10. McCollum/Spielman. « And a Child Shall Lead Them : A Review of Commercials Featuring Children », *Topline*, décembre 1986.

11. Whittler, Tommy E. « The Effects of Actors' Race in Commercial Advertising : Review and Extension », *Journal of Advertising*, vol. 20, n° 1, 1991, p. 54-60.

12. Roman, Kenneth et Jane Maas. *How to Advertise*, New York, St. Martin's Press, 1976, p. 34 ; Maas, Jane. *Better Brochures, Catalogs and Mailing*, New York, St. Martin's Press, 1981, p. 21.

13. Hopkins, Claude. *Mes succès en publicité*, Paris, La Publicité, 1927, p. 110-111 et p. 140-141.

14. Swasy, Alicia. *Soap Opera : The Inside Story of Procter & Gamble*, New York, Times Books, 1993, p. 107.

15. Genzel, David. *De la publicité à la communication*, Paris, Rochevignes, 1984, p. 193-194.

16. Ogilvy, David. « We Sell. Or Else », *The Advertiser*, été 1992, p. 22.

17. Lafayette, Jon. « Scandal ruts focus on ad visuals », *Advertising Age*, 26 novembre 1990, p. 62.

18. Péninou, Georges. *Intelligence de la publicité*, Paris, Laffont, 1972, p. 188-194.

19. Déry, René. *L'idéation publicitaire*, Montréal, Les Éditions Transcontinental, 1997, p. 20.

20. Bauer, Raymond Augustine et Stephen A. Greyser. *Advertising in America, the Consumer View*, Boston, Division of Research, Harvard Business School, 1968, p. 173-177.

21. Massé, Isabelle. « Pub partout », *La Presse*, 20 août 2003, p. B1.

22. Mayer, Martin. *Madison Avenue USA, les coulisses de la publicité américaine* (traduit par J. E. Leymarie), Paris, Les Éditions d'Organisation, 1968, p. 72.

23. Schwab, Victor O. *How to Write a Good Advertisement,* New York, H. Wolff, 1942, p. 9.

24. Caples, John. *Tested Advertising Methods,* Englewood Cliffs (N.J.), Prentice Hall, 1987, p. 205.

25. Baker, Michael et Gilbert A. Churchill Jr. « The Impact of Physically Attractive Models on Advertising Evaluations », *Journal of Marketing Research,* vol. 14, n° 4, novembre 1977, p. 538-555.

26. Smith, G. H. et R. Engel. « Influence of a Female Model on Perception Characteristics of an Automobile », *Proceedings of the 76th Annual Convention of the American Psychological Association,* vol. 3, 1968, p. 681-682.

27. Steadman, Major. « How Sexy Illustrations Affect Brand Recall », *Journal of Advertising Research,* vol. 9, n° l, mars 1969, p. 15-19.

28. Alexander, Wayne et Ben Judd Jr. « Do Nudes in Ads Enhance Brand Recall? », *Journal of Advertising Research,* vol. 18, n° l, février 1978, p. 47-50.

29. Cohen, Dorothy. *Advertising,* Glenview. (Illinois), Scott Foresman, 1988, p. 514.

30. Perreault, François. « Monsieur B en minorité », *Commerce,* vol. 97, n° 4, avril 1995, p. 8.

31. Pfau, M. et R. Parrott. *Persuasive Communication Campaigns*, Boston, Allyn & Bacon, p. 126.

32. Garnaud, Emmanuelle. « La Bataille du nombre », *Info Presse Communications,* mai 2003, p. 37.

33. Noël, Kathy. « Le combat des beignes », *Commerce,* 2003.

34. Perreault, François. « Faire sa place sur les tables… et les tablettes », *La Presse,* 28 novembre 2001, p. D6.

35. Hovland, C. et W. Weiss. « The Influence of Source Credibility on Communication Effectiveness », *Public Opinion Quarterly,* 15, 1951, p. 635-650; Schulman, G. et C. Worrall. « Salience Patterns, Source Credibility, and the Sleeper Effect », *Public Opinion Quarterly,* 34, 1970, p. 371-382 ; Warren, I. « The Effect of Credibility in Sources of Testimony on Audience Attitudes Toward Speaker and Message », *Speech Monographs,* vol. 6, 1969, p. 456-458.

36. Friedman, Hershey H. et Linda Friedman. « Endorser Effectiveness by Product Type », *Journal of Advertising Research,* vol. 19, n° 5, octobre 1979, p. 70.

37. « Can Celebrities Really Sell Products ? », *Marketing & Media Decisions,* septembre 1984, p. 64-66.

38. Atkin, Charles et Martin Block. « Effectiveness of Celebrity Endorsers », *Journal of Advertising Research,* vol. 23, n° 1, février-mars 1983, p. 57-61.

39. « The '80s », *Advertising Age,* 1er janvier 1990, p. 23.

40. Fisher, Chrysty. « Butterfinger », *Advertising Age,* 5 juillet 1993, p. S-9.

41. Sloan, Pat. « Calvin Klein Underwear », *Advertising Age,* 5 juillet 1993, p. 5-12.

42. Bouchard, Jacques et coll. *La publicité québécoise: ses succès, ses techniques, ses artisans,* Montréal, Éditions Héritage, 1976, p. 141.

43. Kahle, Lynn R. et Pamela M. Homer. « Physical Attractiveness of the Celebrity Endorser: A Social Adaptation Perspective », *The Journal of Consumer Research,* vol. 11, n° 4, mars 1985, p. 954-961 ; Swasy John L. et James M. Munch. « Examining the Target Receiver Elaborations: Rhetorical Question Effects on Source Processing and Persuasion », *The Journal of Consumer Research,* vol. 11, n° 4, mars 1985, p. 877-886.

44. « Can Celebrities Really Sell Products? », *Marketing & Media Decisions,* septembre 1984, p. 64-66.

45. Almasy, Paul. *La photographie, moyen d'information,* Paris, Tema-éditions, 1975, p. 33.

46. Cossette, Claude. *L'iconique.. sémiologie de l'image fonctionnelle statique, notes de cours ARV 14629,* École des arts visuels, Université Laval, Québec, 1979, p. 156.

47. Vaske, Hermann. « There Is No Excuse for Bad Work », *Archive,* vol. 6, décembre 1993, p. 15.

Chapitre 4

1. Fox, Stephen. *The Mirror Makers,* New York, Vintage, 1984, p. 113.

2. Collard, Nathalie. « Cliquez ici », *Info Presse Communications,* décembre 1999, p. 63.

3. Cossette, Claude. *Comment faire sa publicité soi-même,* Montréal, Éditions Transcontinental, 2002, p. 157.

4. Janis, Irving L. et Seymour Feshbach. « Effects of Fear Arousing Communications », *Journal of Abnormal and Social Psychology,* vol. 48, n° 1, janvier 1953, p. 78-92.

5. Marney, Jo. « The Headline's the Thing », *Marketing,* 17 novembre 1986, p. 8.

6. Reeves, Rosser. *Le réalisme en publicité* (traduit par R. Aubert), Paris, Dunod, 1968, p. 41-42.

7. Howard, John et Jagdish N. Sheth. *The Theory of Buyer Behavior,* New York, John Willey & Sons, 1969, p. 147-148.

8. Brock, Timothy, Stuart M. Albert et Lee Alan Becker. « Familiarity, Utility and Supportiveness as Determinants of Information Receptivity », *Journal of Personality and Social Psychology,* vol. 14, n° 4, 1970, p. 292-301.

9. Ogilvy, David. *La publicité selon Ogilvy* (traduit par Elie Vannier), Paris, Dunod, 1984, p. 74.

10. Rideau, Alain. « L'argumentation dans la publicité pharmaceutique », *Les Cahiers de la publicité,* n° 20, avril-mai-juin, 1968, p. 90.

11. Berlyne, Daniel E. « Conflict and Information Theory Variables as Determinants of Human Perceptuel Curiosity », *Journal of Experimental Psychology,* vol. 53, n° 6, juin 1957, p. 399-404 ; « Novelty and Curiosity as Determinants of Exploratory Behaviour », *The British Journal of Psychology,* vol. 41, parties 1 et 2, sept. 1950, p. 68-80.

12. Levinson, Jay Conrad, *Guerrilla Marketing Excellence,* New York, Houghton Mifflin Company, 1993, p. 37.

13. Honomichl, Jack J. « The Ongoing Saga of Mother Baking Soda », *Advertising Age,* 20 septembre 1982, p. M-2, M-3 et M-22.

14. McMath, Robert et Thom Forbes. *What Were They Thinking,* New York, Random House, 1999, p. 61.

15. Clancy, Kevin et Robert Shulman. *Marketing Myths That Are Killing Business,* McGraw-Hill, New York, 1993, p. 81.

16. Hopkins, Claude. *Mes succès en publicité* (traduit par Louis Angé), Paris, La Publicité, 1927, p. 180.

17. Rapp, Stan et Thomas L. Collins. *MaxiMarketing,* Paris, McGraw-Hill, 1988, p. 46.

18. Strunk, William et E. B. White. *The Element of Style,* New York, Collier MacMillan, 1959, p. 15-16.

19. Percy, Larry et John Rossiter. « 10 Ways to More Ads Via Visual Imagery Psycholinguistics », *Marketing News,* 19 février 1982, p. 10.

20. Martineau, Pierre. *Motivation in Advertising,* New York, McGraw-Hill, 1957, p. l.

21. « Mesurer l'impact des signatures publicitaires », *Info Presse Communications,* septembre 1993.

22. Rudolph, Harold. *Attention and Interest Factors in Advertising Survey, Analysis, Interpretation,* New York, Funk & Wagnalls Company en collaboration avec Printers' Ink Publishing Co. Inc., 1947, p. 46-47.

23. Miller, George A. « The Magical Number Seven, Plus or Minus Two : Some Limits on Our Capacity to Process Information », *Psychological Review,* vol. 63, n° 2, 1956, p. 81-87.

24. Haas, Claude Raymond. *Pratique de la publicité,* Dunod, Paris, 1970, p. 243 et 244.

25. Caples, John. *Tested Advertising Methods,* Prentice Hall, Englewood Cliffs, 1987, p. 38.

26. Marney, Jo. « Delivering the Promise », *Marketing,* 7 juin 1982, p. 12. *Laboratory of Advertising Performance,* New York, McGraw-Hill Research, 1950, Data Sheet # 3200.

27. McGraw-Hill. *Laboratory of Advertising Performance,* New York, McGraw-Hill Research, 1950, Data Sheet 3200.

28. Marney, Jo. « The Headline's the Thing », *Marketing,* 17 novembre 1986, p. 8.

Chapitre 5

1. Rossiter, John R. « The Increase in Magazine Ad Readership », *Journal of Advertising Research,* vol. 28, n° 5, octobre-novembre 1988, p. 35-39.

2. Starch, Daniel. *Measuring Advertising Readership and Results*, New York, McGraw-Hill, 1966, p. 103.

3. Roman, Kenneth et Joel Raphaelson. *Writing that Works,* New York, Harper & Row, 1981, p. 2.

4. Politz, Alfred. « Dilemma of Creative Advertising », *Journal of Marketing,* vol. 25, n° 2, octobre 1960, p. 1.

5. Ries, Al et Jack Trout. *Le positionnement,* Paris, McGraw-Hill, 1987, p. 27.

6. Starch, Daniel. « Why Readership of Ads Has Increased 24 % », *Advertising & Selling,* août 1946, p. 47.

7. Flesch, Rudolph. *How to Test Readability,* New York, Harper & Brothers, 1951, 56 p.

8. McGuire, William. « The Nature of Attitude and Attitude Change », dans Gardner Linsley et Elliot Aronson. *The Handbook of Social Psychology,* Reading, Massachusetts, Addison-Wesley Publishing Co., vol. 3, 2ᵉ édition, 1968, chapitre 21, p. 136-314.

9. Lazareff, Alexandre et Jean-Pascal Tranié. *Les chemins de la réussite expliqués aux impatients,* Paris, Laffont, 1987, p. 66.

10. Burnett, Leo. *Communications of an Advertising Man,* Chicago, Leo Burnett Co. Inc., 1961, p. 246.

11. Packard, Vance. *La persuasion clandestine,* Paris, Calmann-Lévy, 1958, p. 143.

12. Richaudeau, François. *Le langage efficace,* Paris, Denoël, 1973, p. 81.

13. Woolf, James D. « Salesense in Advertising... Outstanding Advertising Need Not Stretch the Truth », *Advertising Age,* 18 mars 1957, p. 81.

14. Hovland, Carl et Wallace Mandell. « An Experimental Comparison of Conclusion-Drawing by the Communicator and by the Audience », *Journal of Abnormal and Social Psychology,* vol. 47, n° 3, juillet 1952, p. 581-588.

15. Caples, John. *Tested Advertising Methods,* Englewood Cliffs, Prentice Hall, 1987, p. 138-139.

16. Hodgson, Richard S. *The Dartnell Direct Mail and Mail Order Handbook,* Chicago, The Dartnell Corporation, 1964, p. 390.

17. Newman, Joseph W. et Richard Staelin. « Prepurchase Information Seeking for New Cars and Major House-hold Appliances », *Journal of Marketing Research,* vol. 9, n° 3, août 1972, p. 249-257.

18. Bearden, William O. et Terence A. Shimp. « Warranty and Other Extrinsic Cue Effects on Consumers' Risk Perceptions », *Journal of Consumer Research,* vol. 9, n° l, juin 1982, p. 3846 ; Sexton, Richard, *American Style,* San Francisco, Chronicle Books, 1987, p. 17.

19. Shuchman, Abe et Peter Riesz. « Correlates of Persuasibility : the Crest Case », *Journal of Marketing Research,* vol. 12, n° 2, février 1975, p. 7-11.

20. Lord, Laura. « The Club », *Advertising Age,* 5 juillet 1993, p. 5-19.

21. Dumas, Hugo. « Rentré à Montréal, Denys Arcand rêve de vacances », *La Presse,* 30 mai 2003, p. B1.

22. Hopkins, Claude. *Mes succès en publicité,* Paris, La Publicité, 1927, p. 115

23. Hume, Scott. « Clinton Serves MCD's a PR Feast », *Advertising Age,* 14 décembre 1992, p. 6.

24. Bly, Robert. *The Copywriter's Handbook : A Step-by-step Guide to Writing Copy that Sells,* New York, Dodd, Mead & Company, 1985, p. 22-23.

25. Cone, Edward F. « Terrific ! I Hate it », *Forbes,* 27 juin 1988, p. 130-132.

26. Perreault, François. « Pourquoi des entreprises mettent leur dirigeant au cœur de leurs communications », *La Presse,* 29 mai 2002, p. D4.

27. Perreault, François. « Monsieur B en minorité », *Commerce,* vol. 97, n° 4, avril 1995, p. 8.

28. Weinberger, Marc G. et Harlan E. Spotts. « Humor in U.S. Versus U.K.-TV Advertising », *Journal of Advertising,* vol. 18, n° 2, 1989, p. 39-44.

29. Madden, Thomas J. et Marc G. Weinberger. « Humor in Advertising : A Practitioner View », *Journal of Advertising Research,* vol. 24, n° 4, 1984, p. 23-29.

30. McCollum Spielman. « Focus on Funny », *Top Line,* vol. 3, n° 3, juillet 1982.

31. Madden, Thomas J. et Marc G. Weinberger. « The Effects of Humor on Attention in Magazine Advertising », *Journal of Advertising,* vol. 11, n° 3, 1982, p. 8-14.

32. Stewart, David M. et David H. Furse, *Effective Television Advertising,* Lexington. (MA), D.C. Heath and Company, Chicago, 1986.

33. Weinberger, Marc G. et Leland Campbell. « The Use and Impact of Humor in Radio Advertising », *Journal of Advertising Research,* vol. 31, décembre/janvier 1991, p. 44-52.

34. Madden, Thomas J. « Humor in Advertising : Applications of a Hierarchy of Effects Paradigm », Journal of Advertising Research, 1982.

35. Madden, Thomas J. et Marc G. Weinberger. « Humor in Advertising : A Practitioner View », *Journal of Advertising Research,* vol. 24, n° 4, 1984, p. 23-29.

36. Madden, Thomas J. et Marc G. Weinberger. « Humor in Advertising : A Practitioner View », *Journal of Advertising Research,* vol. 24, n° 4, 1984, p. 23-29 ; Ogilvy Center, 1985 et Biel et Bridgwater, 1990 dans « Does Commercial Liking Matter ? », *Topline,* non daté.

37. Gelb, Betsy et George M. Zinkhan. « The Effect of Repetition on Humor in a Radio Advertising Study », *Journal of Advertising,* vol. 14, n° 4, 1985, p. 13-20, 68.

38. Madden, Thomas J. et Marc G. Weinberger. « Humor in Advertising : A Practitioner View », *Journal of Advertising Research,* vol. 24, n° 4, 1984, p. 23-29.

39. Landler, Mark et coll. « What Happened to Advertising », *Business Week,* 23 septembre 1991, p. 71.

40. Schultz, Don E. et William A. Robinson. *Sales Promotion Essentials,* Lincolnwood (Illinois), NTC Business Books, 1989, p. 6.

41. « Free Standing Inserts Remain Stable as Couponing Consolidates », NCH Promotional Services Ltd., SR0103, March 2003.

42. Hume, Scott. « Couponing Reaches Record Clip », *Advertising Age,* 3 février 1992, p. 1 ; « Coupon Capitals », *Advertising Age,* août 1990, p. 14.

43. Hume, Scott. « Redeeming Feature », *Advertising Age,* 4 février 1991, p. 35.

44. Rapp, Stan et Tom Collins. *The Great Marketing Turnaround,* New York, Plume Book, 1992, p. 29.

45. Holmes, John H. et John D. Lett. « Product Sampling and Word of Mouth », *Journal of Advertising Research,* vol. 17, n° 5, octobre 1977, p. 34-40.

46. Sloan, Pat et Scott Donaton. « Sampling Smells Sweet for Scent Biz », *Advertising Age,* 3 août 1992, p. 17.

47. Barnes, Julian. « Fast-Food Giveaway Toys Face Rising Recalls », *The New York Times,* 16 août 2001, p. A1.

48. Hopkins, Claude. *Mes succès en publicité,* Paris, La Publicité, 1927, p. 105.

49. Perreault, François. « Donner son produit... pour mieux le vendre », *La Presse,* 7 novembre 2002, p. D5.

50. Cahners Advertising Research Report. « How Important to Readers is the Mention of Price in an Advertisement ? », *Cahners Advertising Research Report,* New York, 1979, n° 115.1.

51. Marney, Jo. « Proof that it Pays to Advertise During Times of Economic Slowdown », *Marketing,* 14 décembre 1981, p. 24 et 26.

52. Anonyme. « Supermarket Psych-Out », *Tufts University Health & Nutrition Letter,* New York, vol. 16, n° 11, janvier 1999, p. 1, 3.

53. Winters, Patricia. « MagiCan Maladies », *Advertising Age,* 21 mai 1990, p. 3 et 62 ; « Coke and Gadgetry's Pitfalls », *Advertising Age,* 4 juin 1990, p. 20.

54. Desrosiers, Éric. « Acheter... et voler », *Le Devoir,* 21 septembre 2002, p. B1.

55. Jones, John Philip. *What's in a Name ?,* Massachusetts, Lexington Books, 1986, p. 2-3, p. 106.

56. Guadagni, Peter et John D. C. Little. « A Logic Model of Brand Choice Calibrated on Scanner Data », *Marketing Science,* vol. 2, été 1983, p. 203-238 ; Gupta, Sunil. « Impact of Sales Promotion on When, What, and How Much to Buy », *Journal of Marketing Research,* vol. 25, n° 4, novembre 1988, p. 342-355 ; Neslin, Scott A., Caroline Henderson et John Quelch. « Consumer Promotions and the Acceleration of Product Purchases », *Marketing Science,* vol. 4, été 1985, p. 147-165.

57. Haugh, Louis J. « Questioning the Spread of Coupons », *Advertising Age,* 22 août 1983, p. M-31.

58. Cossette, Claude et René Déry. *La publicité en action,* Québec, Les Éditions Riguil Internationales, 1987, p. 42-43.

59. English, Mary McCabe. « Like it or Not, Coupons Are Here to Stay », *Advertising Age,* 22 août 1983, p. M-26, M-27, M-28.

60. Levinson, Jay Conrad. *Guerrilla Marketing Excellence*, New York, Houghton Mifflin Company, 1993, p. 74.

61. Clancy, Kevin et Dan Belmont. « Top of Mind », *Brandweek*, vol. 45, n° 29, 9 août 2004, p. 25.

62. Bernstein, Sid. « Sponsors Love the Sporting Life », *Advertising Age,* 23 novembre 1992, p. 17.

63. Marney, Jo. « CARF Plans for the Future », *Marketing*, 27 mars 1989, p. 10.

64. Schlossberg, Howard. « Fans Favors Corporate Sponsors in Tennis », *Marketing News*, 22 juillet 1991.

65. Hume, Scott. « Sports Sponsorship Value Measured », *Advertising Age,* 6 août 1990, p. 22.

66. Hansen, Flemming et Lene Scotwin. « An Experimental Enquiry into Sponsoring : What Effects Can Be Measured ? », *Marketing and Research Today*, août 1995, p. 173-181 ; Kerstetter, Deborah et Richard Gitelson, « Attendee Perceptions of Sponsorship Contributions to a Regional Art Festival », *Festival Management & Event Tourism*, n° 2, 1995, p. 203-209.

67. Lamarche, Robert. « Sans limite, la pub ? », *Protégez-vous,* août 1991, p. 48.

68. Dansereau, Suzanne. « Jusqu'où peut-on aller sans aliéner le public et les artistes », *Les Affaires*, 22 février 2003, p. 29.

69. Leduc, Louise. « Quand la pub fait son cinéma », *Le Devoir*, 9 janvier 2001, p. A1.

70. MR. « Plus vrai que nature », *Info Presse Communication,* mars 2003, p. 46.

71. Desormiers, Alain et Nathalie Marcil. « Attention, attention », *Info Presse Communications*, juillet-août 2000, p. 55.

Chapitre 6

1. Leduc, Robert. *La publicité, une force au service de l'entreprise*, Paris, Dunod, 1982, p. 161.

2. Laboire, Marcel. *Précis théorique et technique de publicité*, Amiens, Éditions scientifiques et littéraires, 1957, p. 198.

3. Ducas, Marie-Claude. « Forêts tropicales », *Info Presse Communications*, mars 1992, p. 35.

4. Starch, Daniel. *Measuring Advertising Readership and Results*, New York, McGraw-Hill, 1966, p. 75-76.

5. Paterson, Donald G. et Miles A. Tinker. « Influence of Size of Type on Eye Movement », *Journal of Applied Psychology*, vol. 26, n° 2, avril 1942, p. 227-230.

6. Paterson, Donald G. et Miles A. Tinker. « Eye Movement in Reading Type Sizes in Optimal Une Widths », *Journal of Educational Psychology*, vol. 34, n° 9, décembre 1943, p. 547-551.

7. Hauser, Régis. *Concevoir et rédiger des mailings efficaces*, Paris, Les Éditions d'Organisation, 1988, p. 169.

8. Tinker, Miles Albert. *Legibility of Print*, University Press, Ames, Iowa, Iowa state, 1963, p. 146 ; Tinker, Miles Albert et Donald G. Paterson. *How to Make Type Readable : A Manual for Typographers, Printers and Advertisers*, New York, Harper & Brothers Publishers, 1940, p. 120.

9. Luckiesh, Matthew. *Light and Color in Advertising and Merchandising*, New York, D. Van Nostrand, 1923, p. 246-251.

10. Starch, Daniel. *Principles of Advertising*, New York, Garland Publishing Inc., 1985, p. 668-669.

11. Paterson, Donald G. et Miles A. Tinker. « Studies of Typographical Factors Influencing Speed of Reading : VI Black Type Versus White Type », *Journal of Applied Psychology*, vol. 15, n° 3, juin 1931, p. 241-247.

12. Tinker, Miles A. *Legibility of Print*, Ames, Iowa, Iowa State University Press, 1963, p. 55.

13. Breland, Keller et Mariam Kruse Breland. « Legibility of Newspaper Headlines Printed in Capitals and Lower Case », *Journal of Applied Psychology*, vol. 28, n° 2, avril 1944, p. 117-120.

14. Haas, Claude Raymond. *Pratique de la publicité*, Paris, Dunod, 1970, p. 280.

Chapitre 7

1. Vaske, Hermann. « On One Hand You have the Saatchis, and on the Other, Mother Teresa », *Archive,* vol. 2, 1989, p. 9.

2. Harper, Marion. *Getting Results from Advertising,* New York, Funk & Wagnalls Co. Inc., 1948, p. 41.

3. Telcom For Independent Outdoor Advertising. « A Study of Outdoor Advertising Sign Placement », 1979.

4. Mediacom. *Position du logo,* document corporatif.

5. Baker, Stephen. *Visual Persuasion : The Effect of Pictures on the Subconscious,* New York, McGraw-Hill, 1961, chapitre 3.

6. Hepner, Harry Walker. *Advertising : Creative Communications with Consumers,* New York, McGraw-Hill, 1964, p. 469.

7. Hendon, Donald W. « How Mechanical Factors Affect Ad Perception », *Journal of Advertising Research,* vol. 13, août 1973, p. 39-45.

8. Troldahl, Verling C. et Robert L. Jones. « Predictors of Newspapers Advertisement Readership », *Journal of Advertising Research,* vol. 5, n° 1, mars 1965, p. 23-27.

9. Godin, Seth et Chip Conley. *Business Rules of Thumb,* New York, Warner Books, 1987.

10. Hendson, Donald Wayne. « How Mechanical Factors Affect Ad Perception », *Journal of Advertising & Search,* vol. 13, n° 4, août 1973, p. 40.

11. Godin, Seth et Chip Conlcy. *Business Rules of Thumb,* New York, Warner Books, 1987.

12. Reed Elsevier Business Information Research. *Is Advertising Readership Influenced by Ad Size,* n° 110.

13. Ulin, Lawrence. « Pénétrations comparées de deux différents formats », *Communication et Langage,* n° 1, mars 1969, p. 70-78.

14. Starch, Daniel. *Measuring Advertising Readership and Results,* New York, McGraw-Hill, 1966, p. 73-75.

15. Benn, Alec. *The 27 Most Common Mistakes in Advertising,* New York, Amacom, 1978, p. 35.

16. Rossiter, John et Larry Percy. *Advertising & Promotion Management,* New York, McGraw-Hill, 1987, p. 622.

17. Printers' Ink. « Is Preferred Position Worth It ? », *Printers' Ink,* 25 août 1961, p. 43-44.

18. Ibid.

19. Stone, Bob. *Méthode de marketing direct,* Paris, InterÉditions, 1992, p. 183.

20. Liesse, Julie. « Finding the Perfect Print Ad », *Advertising Age,* 13 août 1990, p. 25.

21. « Average Readership of All One-Page 4-Color Ads by Page Position In Magazines », *Starch Tested Copy,* vol. 1, n° 2, juin 1989.

22. Stone, Bob. *Successful Direct Marketing Methods,* Chicago, Crain Books, 1979, p. 112.

23. Starch. « Do reader offer ads par off », *Starch Tested copy,* vol. 1, n° 13, p. 1-4.

24. Starch. « Readership of Sweepstakes Advertisement », *Starch Tested Copy,* vol. l, n° 15, p. 1-4.

25. Gentalen, Tiit. « Transamerica Pop-Up Unit Awareness », *Time Marketing Information,* septembre 1986, ME n° 9074 ; « The Transamerica Pop-Up Unit Advertising Effectiveness Study », *Time Marketing Information,* octobre 1986.

26. Starch, Daniel. *Measuring Advertising Readership and Results,* New York, McGraw-Hill, 1966, p. 60.

27. Printers' Ink. « What Stirs the Newspaper Reader », *Printers' Ink,* 21 juin 1963, p. 48-49.

28. Starch INRA Hooper, 1992 dans Fast Consulting, *Why Use Color ?,* 1993.

29. Starch, Daniel. *Measuring Advertising Readership and Results,* New York, McGraw-Hill, 1966, p. 61.

30. Reed Elsevier. *How Is Advertising Readership Influenced by Ad Size and Color,* Business Information Advertising Performance Studies, 1992.

31. Starch, Daniel. *Measuring Advertising Readership and Results,* New York, McGraw-Hill, 1966, p. 31 ; Runyon, Kenneth. *Advertising and the Practice of Marketing,* Columbus, Charles E. Merrill Publishing Co., 1979, p. 239.

32. Wheatley. « Measuring the Effect of ROP Color on Newspaper Advertising », 1966.

33. Austin, Larry et Richard Sparkman. « The Effect on Sales of Color in Newspaper Advertisements », *Journal of Advertising,* vol. 9, n° 4, 1980, p. 39-42 ; voir aussi Gardner, Burleigh B. et Yehudi A. Cohen. « ROP Color and its Effect on Newspaper Advertising », *Journal of Marketing Research,* vol. 1, n° 2, mai 1964, p. 68-70.

34. ARF/ABP. *Does the Use of Four-Color Advertisement in a Specialized Business Magazine Advertising Campaign Increase Sales?*, 1984-1985.

35. Wheatley. « Measuring the Effect of ROP Color on Newspaper Advertising », 1966.

36. Perreault, François. « Les couleurs en disent long sur une marque », *La Presse*, 13 mars 2002, p. D9.

Chapitre 8

1. Cheskin, Louis. *Business without Gambling: How Successfull Marketers Use Scientific Methods*, Chicago, Quadrangle Books, 1963, 255 p.; *Color Guide for Marketing Media*, New York, Macmillan, 1954, 209 p.; *How to Predict What People Will Buy*, New York, Liveright Pub. Corp., 1957, 241 p.; *Marketing: le système de Cheskin*, Paris, Chotard et associés éditeurs, 1971, 180 p.; *Why People Buy: Motivation Research and its Successful Application*, New York, Liveright Publishing Corporation, 1959, 348 p.

2. Cheskin, Louis. *Marketing: le système de Cheskin*, Chotard et associés éditeurs, Paris, 1971, p. 17.

3. Cooper, Mimi. « The Color of Money May Actually Be Fuchsia », Direct Marketing, vol. 34, mai 1994, p. 66-67.

4. Turbiaux, Marcel. « Les pièges de la publicité », *Psychologie*, n° 25, février 1971, p. 40.

5. Déribéré, Maurice. *La couleur dans les activités humaines*, Paris, Dunod, 1959, p. 273.

6. Hedgecoe, John. *La photographie en couleur*, Paris, Éditions du Fanal, 1979, p. 34.

7. Déribéré, Maurice. *La couleur dans les activités humaines*, Dunod, Paris, 1959, p. 125.

8. Morris, Desmond. *La clé des gestes*, Paris, Bernard Grasset, 1978, p. 302-303.

9. Kandinski, Wassily. *Point, ligne, plan: contribution à l'analyse des éléments picturaux*, Paris, Denoël Gonthier, 1970, p. 134.

10. Johnson, Henry C.L. « Love is Red, Power is Blue, Sex is Pink: What Color Are You? » *Marketing/Communications*, mai 1968, p. 103.

11. Moles, Abraham A. *L'affiche dans la société urbaine*, Paris, Dunod, 1970, p. 9.

12. Warden, Carl et Ellen L. Flynn. « The Effect of Color on Apparent Size and Weight », *The American Journal of Psychology*, vol. 37, n° 3, 1926, p. 398-401.

13. Déribéré, Maurice. *La couleur dans les activités humaines,* Dunod, Paris, 1959, p. 125.

14. Marx, Ellen. « Les effets psychologiques et physiologiques des couleurs », *Psychologie,* n° 58, novembre 1974, p. 53.

15. Hedgecoe, John. *La Photographie en couleur,* Éditions du Fanal, Paris, 1979, p. 34.

16. Hedgecoe, John. *La photographie en couleur,* Paris, Éditions du Fanal, 1979, p. 60.

17. Hedgecoe, John. *La photographie en couleur,* Paris, Éditions du Fanal, 1979, p. 40.

18. Favre, Jean-Paul et André November. *Color and und et Communication,* Zurich, ABC Éditions, 1979, p. 30.

19. Eysenk, R.J. « A Critical Experiment Study of Color Preferences », *American Journal of Psychology,* vol. 54, n° 3, juillet 1941, p. 385-394.

20. Johnson, Douglas. *Advertising Today,* Chicago, Sciences Research Associates Inc., 1978, p. 103.

21. Ward, Philip. *Advertising Fundamentals,* Scranton, Intext Publisher, 1970, p. 649.

22. Petrof, John V. *Comportement du consommateur et marketing,* Québec, Les Presses de l'Université Laval, 1984, p. 380.

23. Cheskin, Louis. *Marketing : le système de Cheskin,* Chotard et associés éditeurs, Paris, 1971, p. 16.

24. Loewy, Raymond. *La laideur se vend mal,* Paris, Gallimard, 1953, p. 256.

25. Baker, Stephen. *Visual Persuasion : The Effect of Pictures on the Subconscious,* New York, McGraw-Hill, 1961, chapitre 3 ; Caboni, Mare. *Traité d'art publicitaire et des arts graphiques,* Bruxelles, Éditions Caboni, 1950, p. 31-32 ; Cossette, Claude. *L'iconique : sémiologie de l'image fonctionnelle statique, notes de cours ARV 14629,* Québec, Écoles des arts visuels, Université Laval, 1979, p. 172-173 ; Haas, Claude Raymond. *Pratique de la publicité,* Dunod, Paris, 1970, p. 85.

26. Baker, Stephen. *Visual Persuasion : The Effect of Pictures on the Subconscious,* McGraw-Hill, New York, 1961, chapitre 3.

Chapitre 9

1. « Comparisons Become Invidious in Rivalry for Tire Market », *Business Week*, 22 avril 1931, p. 10 dans Sellars, Ronald Kay. *A Study of the Effectiveness of Comparative Advertising for Selected Household Appliances*, The Louisiana State University and Agricultural and Mechanical Col., Marketing, Thèse de doctorat, 1977, p. 2-3.

2. Harris, King. « How Slirling Getchell Chased Walter Chrysler - and Hired a Mail Boy », *Advertising Age*, 31 juillet 1967, p. 59-62.

3. Wilkie, William L. et Paul W. Farris. « Comparison Advertising: Problems and Potential », *Journal of Marketing*, vol. 39, n° 4, octobre 1975, p. 8.

4. Starch. *The Gaver Story: When Position Does Make a Difference*, vol. l, n° 9, octobre 1989, p. 1-4.

5. Voir, entre autres : Barry, Thomas E. et Roger L. Tremblay. « Comparative Advertising: Perspective and Issues », *Journal of Advertising*, vol. 4, n° 4, 1975, p. 15-20 ; Boddewyn, Jean J. et Katherin Marton. *Comparison Advertising: A Worldwide Study*, New York, Hastings House, 1978, chapitre 7 ; Prasad, V. Kanti. « Communication Effectiveness of Comparative Advertising: A Laboratory Analysis », *Journal of Marketing Research*, vol. 12, n° 2, mai 1976, p. 128-137 ; Tannenbaum, Stanley et Andrew G. Kershaw. « For and Again Comparative Advertising », *Advertising Age*, 5 juillet 1976, p. 25-26 et 29.

6. Droge, Cornellia et René Darmon. « Associative Positioning. Strategies Through Comparative Advertising: Attribute Versus Overall Similarity Approaches », *Journal of Marketing Research*, vol. 24, novembre 1987, p. 223-232 ; « Creating a Mass Market for Wine », *Business Week*, 15 mars 1982, p. 102-118 ; Jain, Subhash C. et Edwin C. Hackleman. « How Effective is Comparison Advertising for Stimulating Brand Recall? », *Journal of Advertising*, vol. 7, n° 3, 1978, p. 20-25.

7. Perreault, François. « Mon père est plus fort que le tien! », *La Presse*, 23 janvier 2002, p. D8.

8. Ibid.

9. Tyler, William. « Comparison Advertising: A Powerful Selling Tool When It Is Not Abused », *Advertising Age*, 21 avril 1975, p. 58 et 60.

10. Gorn, Gerald J. et Charles B. Weinberg. « The Impact of Comparative Advertising on Perception and Attitude: Some Positive Findings », *The Journal of Consumer Research*, vol. Il, n° 2, sept. 1984, p. 719-727.

11. Rosenthal, Edmond M. « Comparative Advertising : Weapon or Fad ? », *Marketing Times,* vol. 23, septembre-octobre 1976, p. 13.

12. Giges, Nancy. « PepsiCo Ad Insists : No Question - Coke Drinkers Prefer Pepsi », *Advertising Age,* 19 juillet 1976, p. 2 et 66.

13. Swayne, Linda Sue Eggeman. *Comparative Advertising as Corporate Strategy : An Investigation of Key United States Industries,* North Texas State University, Marketing, Thèse de doctorat, 1978, p. 49.

14. Golden, Linda L. « Consumer Reactions to Explicit Comparisons in Advertisements », *Journal of Marketing Research,* vol. 16, n° 4, novembre 1979, p. 517-532 ; Levine, Philip. « Commercials that Name Competing Brands », *Journal of Advertising Research,* vol. 16 , n° 6, décembre 1976, p. 7-14 ; Shimp, Terence A. et David C. Dyer. « The Effects of Comparative Advertising Mediated by Market Position of Sponsoring Brand », *Journal of Advertising,* vol. 7, n° 3, été 1978, p. 13-19 ; « Creating a Mass Market for Wine », *Business Week,* 15 mars 1982, p. 102-118.

15. Trytten, John. « It's Easy as Pie : Nothing Can Compare with a Bad Comparative Ad », *Sales and Marketing Management,* 12 juillet 1976, p. 61.

16. Levine, Philip. « Commercials that Name Competing Brands », *Journal of Advertising Research,* vol. 16, n° 6, 1976, p. 7-14.

17. « Underdog Wins in Naming Names : BBDO », *Advertising Age,* 10 mars 1975, p. 56.

18. Roberts, Jack. « Comparative Advertising... I'm O.K... You're Not O.K... », discours prononcé devant l'American Association of Advertising Agencies, Charlotte, North Carolina, 13 novembre 1973, dans Swayne, Linda Sue Eggeman. *Comparative Advertising as Corporate Strategy : An Investigation of Key United Stated Industries,* North Texas State University, Marketing, Thèse de doctorat, 1978, p. 50.

19. Swayne, Linda Sue Eggeman. *Comparative Advertising as Corporate Strategy : An Investigation of Key United Stated Industries,* North Texas State University, Marketing, Thèse de doctorat, 1978, p. 24.

Chapitre 10

1. Tedlow, Richard, *L'audace et le marché : l'invention du marketing aux États-Unis,* Paris, Odile Jacob, 1997.

2. Newspaper Association of America (1993). *Ten Top Reasons to Advertise.*

3. ARF/ABP, *How Long Does it Take to See the Results of a Specialized Business Magazine Advertising Campaign,* n° 100, 1984-1985.

4. Lieberman Associates & Marketmath Inc. « A Study of the Effectiveness of Advertising Frequency in Magazines », 1979-1980.

5. Collard, Nathalie. « Un média de séduction », *Info Presse Communications*, mai 1995, p. 41-42.

6. Ducas, Marie-Claude. « Image, ciblage, portée, fréquence », *Info Presse Communications*, avril 1989, p. 26.

7. Appel, Valentine. « On Advertising Wear Out », *Journal of Advertising & Search*, vol. 11, n° 1, février 1971, p. 11-13 ; Britt, Steuart Henderson, Stephen C. Adams et Allan S. Miller. « How Many Advertising Exposures Per Day ? », *Journal of Advertising Research*, vol. 12, n° 6, décembre 1972, p. 3-9 ; Calder, Bobby J. et Brian Sternthal. « Television Commercial Wearout : An Information Processing View », *Journal of Marketing Research*, vol. 17, n° 2, mai 1980, p. 173-186 ; Carrick, Paul M. Jr. « Why Continued Advertising Is Necessary : A New Explanation », *Journal of Marketing*, vol. 23, n° 4, avril 1959, p. 386-398 ; Craig, C. Samuel, Brian Sternthal et Clark Leavitt. « Advertising Wearout : An Experimental Analysis », *Journal of Marketing Research*, vol. 13, n° 4, novembre 1976, p. 365-372 ; Ehrenberg, Andrew S.C. « Repetitive Advertising and the Consumer », *Journal of Advertising Research*, vol. 14, n° 2, avril 1974, p. 25-33 ; Greenberg, Allan et Charles Suttoni. « Television Commercial Wearout », *Journal of Advertising & Search*, vol. 13, n° 5, octobre 1973, p. 47-53 ; Krugman, Herbert E. « Why Three Exposures May Be Enough », *Journal of Advertising Research*, vol. 12, n° 6, décembre 1972, p. 11-14 ; Naples, Michael J. *Effective Frequency... The Relationship Between Frequency and Advertising Effectiveness*, New York, Association of National Advertisers Inc., 1979, 140 p. ; Ostheimer, Richard H. « Frequency Effects Over Time », *Journal of Advertising Research*, vol. 10, n° 1, février 1970, p. 19-22 ; Ray, Michael L., Alan G. Sawyer et Edward C. Strong. « Frequency Effects Revised », *Journal of Advertising Research*, vol. 11, n° 1, février 1971, p. 14-20 ; Ray, Michael L. et Alan G. Sawyer. « Repetition Models : A Laboratory Technique », *Journal of Marketing Research*, vol. 8, n° 1, février 1971, p. 20-29 ; Zielske, Hubert A. « The Remembering and Forgetting of Advertising », *Journal of Marketing*, vol. 23, n° 3, janvier 1959, p. 239-243.

8. Starch, Daniel. *Measuring Advertising Readership and Results*, New York, McGraw-Hill, 1966, p. 97.

9. Newspaper Association of America (1993). *Ten Top Reasons to Advertise*.

10. Zajong, Robert B. « Attitudinal Effects of Mere Exposure », *Journal of Personality and Social Psychology Monograph Supplement*, vol. 9, n° 2, 2ᵉ partie, juin 1968, p. 1-27 ; Harrison, Albert A. « Exposure and Popularity », *Journal of Personality*, vol. 37, n° 3, septembre 1969, p. 359-377.

11. Grush, J. E. et K. L McKeogh. « The Finest Representation that Money Can Buy : Exposure Effects in the 1972 Congressional Primaries », Chicago, mai 1975, in Baron, Robert A. et Donn Byrne. *Social Psychology : Understanding Human Psychology,* Boston, Allyn and Bacon Inc., 1977, p. 221 ; Simmons Market Research Bureau dans Cahners Advertising Research Report, *Does Advertising Exposure Have a Positive Influence On Brand Perceptions and the Likelihood of Future Product Usage,* 1993-1994.

12. Gordon Publications. *How Do Size, Color and Frequency of Advertisements Influence Buyers' Impressions of a Supplier,* n° 131.

13. Raymond, Mathieu. « Année charnière », *Info Presse Communications,* mai 2003, p. 20.

14. Cahners Advertising Research Report. *Does "Remember Seeing" Increase Two Or More Ads Are Placed By The Same Company In The Single Ussus Of A Specialized Business Magazine,* n° 2001.16.

15. « A Disturbing New Study on 15 Seconds Commercials », *Canada Newsletter,* avril 1989, p. 1-2.

16. Kapferer, Jean-Noël. *Les chemins de la persuasion : le mode d'influence des médias et de la publicité sur les comportements,* Paris, Gauthier-Villars, 1978, p. 245.

17. Séguéla, Jacques. *Ne dites pas à ma mère que je suis dans la publicité... Elle me croit pianiste dans un bordel,* Paris, Flammarion, 1979, p. 111 et 212.

18. Zielske, H. A. « The Remembering and Forgetting of Advertising », *Journal of Marketing,* vol. 23, n° 3, janvier 1959, p. 239-243.

19. Zielske, H. A. « The Remembering and Forgetting of Advertising », *Journal of Marketing,* vol. 23, n° 3, janvier 1959, p. 240.

20. Galway, Byron T. « To Cut or not to Cut ? », *Marketing* & *Media Decisions,* avril 1981, p. 34.

21. Becknell, James C. Jr. et Robert W. McIsaac. « Test Marketing Cookware Coated with Teflon », *Journal of Advertising Research,* vol. 3, n° 3, sept. 1963, p. 2-8.

22. Sevin, Charles H. « What We Know About Measuring Ad Effectiveness », *Printers' Ink,* 9 juillet 1965, p. 47-53.

23. Hobson,W. « Three Basic Principles in Campaign Planning » *The Selection of Advertising Media,* Londres, Mercury House, Business Books Limited, 1968, p. 174-182, dans Littlefield, James E. *Readings in Advertising : Curent View Points on Selected Topics,* St-Paul, West Publishing Co., 1975, p. 242-248.

24. Teinowitz, Ira. « Ad Message, not Frequency, Sells », *Advertising Age,* décembre 1989, p. 31.

25. Berk, Christina Cheddar. « Procter & Gamble Continues To Pull Ads From News Programs », *The Wall Street Journal,* 1er avril 2003, p. B8.

26. Steinberg, Brian. « The Assault on Iraq », *The Wall Street Journal,* 24 mars 2003.

27. Ogilvy, David. *La publicité selon Ogilvy,* Paris, Dunod, 1983, p. 19.

28. Bédard, Romain. « Temps durs », *Info Presse Communications,* septembre 1992, p. 52.

29. Corbett, Michael. *33 Ruthless Rules of Local Marketing,* Houston, Breakthru Publishing, 1988, p. 123.

30. Delagrave, Pierre. *Le média selon Cossette,* Québec, 1991, p. 25.

31. Krugman, Herbert. « Why Three Exposures May Be Enough », *Journal of Advertising Research,* avril 1991.

32. Cossette, Claude et René Déry. *La publicité en action,* Les Éditions Riguil Internationales, 1992, p. 445.

33. Cahners Advertising Research Report. « How Long Do Advertisements Draw Inquiries ? », *Cahners Advertising Research Report,* New York, 1979, n° 240.3.

34. Brisoux, Jacques E., René Y. Darmon et Michel Laroche. *Gestion de la publicité,* Montréal, McGraw-Hill, 1986, p. 468-470.

35. Smith, Thomas. *Hints to Intending Advertisers,* London, 1885, in Leo Bogart, *La stratégie publicitaire,* Paris, Éditions d'Organisation, 1971, p. 207.

Conclusion

1. Arren, Jules. *Comment il faut faire de la publicité,* Paris, Pierre Lafitte & Co. Éditeurs, 1912, p. 35-36.

2. « Cossette se met à nu », *Info Presse Communications,* 1993, p. 42.

Bibliographie

Baker, Stephen. *Advertising Layout and Art Direction,* New York, McGraw-Hill, 1959, 324 p.

Baker, Stephen. *Visual Persuasion,* New York, McGraw-Hill, 1961, n.p.

Bayan, Richard. *Words that Sell,* Chicago, Contemporary Books, 1984, 127 p.

Benn, Alec. *The 27 Most Common Mistakes in Advertising,* New York, Amacom, 1978, 156 p.

Bly, Robert W. *The Copywriter's Handbook,* New York, Owl Books, 1990, 368 p.

Bogart, Leo. *La stratégie publicitaire,* Paris, Les Éditions d'organisation, 1971, 400 p.

Bouchard, Jacques. *Les 36 cordes sensibles des Québécois,* Montréal, éditions Héritage, 1978, 232 p.

Burnett, Leo. *Strategy in Advertising,* Chicago, Leo Burnett Co., 1961, 350 p.

Caples, John. *Making Ads Pay,* Dover Publications, 1957.

Caples, John et Fred E. Hahn. *Tested Advertising Methods,* Englewood Cliffs, N.J. Prentice Hall, 1998, 304 p.

Carat Expert. *Panorama publicitaire,* Montréal, n° 3, 2001, 39 p.

Cheskin, Louis. *Why People Buy: Motivation Research and Its Successful Application,* New York, W. W. Norton & Company, 1959, 348 p.

Cohen, Dorothy. *Advertising,* Glenview, Scott Foreman, 1988, 626 p.

Corbett, Michael. *33 Ruthless Rules of Local Marketing,* Houston, Breakthru Publishing, 1995, 199 p.

Cossette, Claude et Nicolas Massey. *Comment faire sa publicité soi-même,* 2ᵉ édition revue et enrichie, Montréal, Les Éditions Transcontinental, 2002, 345 p.

Cossette, Claude et René Déry. *La publicité en action,* Québec, Les Éditions Riguil internationales, 1992, 510 p.

Dupont, Luc. (sous la direction de P. Delagrave), *Le média selon Cossette,* Cossette Communication-Marketing, 1991, 377 p.

Dichter, Ernest. *The Strategy of Desire,* Garden City, Transaction Publishers, 2002, 314 p.

Dobrow, Larry. *When Advertising Tried Harder,* New York, Friendly Press, 1984, 205 p.

Dupont, Luc. *500 images clés pour réussir vos publicités,* Montréal, Les Éditions Transcontinental, 2000, 272 p.

Dupont, Luc. *Quel média choisir pour votre publicité,* Montréal, Les Éditions Transcontinental, 2001, 304 p.

Favre, Jean-Paul et André November. *Color and und et communication,* Zurich, ABC Verlag, 1979, 167 p.

Flesch, Rudolf. *How to Test Readability,* New York, Harper & Brothers, 1951, 56 p.

Hopkins, Claude. *My Life in Advertising and Scientific Advertising,* Lincolnwood, Crain Books, 1986, 318 p.

Kobliski, Kathy. *Advertising Without an Agency,* Central Point (Oregon), The Oasis Press, 2001, 192 p.

Martineau, Pierre. *Motivation in Advertising: Motives That Make People Buy,* New York, McGraw-Hill, 1971, 210 p.

Ogilvy, David. *Ogilvy on Advertising,* New York, Vintage, 1985, 224 p.

Percy, Larry et John R. Rossiter. *Advertising Strategy,* New York, Praeger Publishers, 1980, 301 p.

Reeves, Rosser. *Le réalisme en publicité,* Paris, Dunod, 1968, 132 p.

Richaudeau, François. *La lisibilité,* Paris, Retz-CEPL, 1969-1976, 302 p.

Richaudeau, François. *L'écriture efficace,* Paris, Éditions CEPL. Collection Savoir communiquer, 1978, 256 p.

Richaudeau, François. *Le langage efficace : psychologie, langage et société,* Paris, Denoël, 1973, 285 p.

Ries, Al et Jack Trout. *Positioning : The Battle for Your Mind,* New York, McGraw-Hill, 1987, 649 p.

Roman, Kenneth et Jane Maas. *How to Advertise,* New York, Thomas Dunne Books, 2003, 256 p.

Starch, Daniel. *Measuring Advertising Readership and Results,* New York, McGraw-Hill, 1966, 270 p.

Stone, Bob et Ron Jacobs. *Successful Direct Marketing Methods,* Chicago, McGraw-Hill, 2001, 608 p.

Zipf, George Kingsley. *La psychobiologie du langage,* Classique Des Sciences Humaines, 1935.